Mes chers enfants,

Si vos parents veulent absolument lire ce conte, dites-leur bien qu'il a été écrit pour vous et non pour eux ; que leurs contes à eux, ce sont : *La Reine Margot, Amaury, Les Trois Mousquetaires, La Dame de Monsoreau, Monte-Cristo, La Comtesse de Charny, Conscience* et *le Pasteur d'Ashbourn.*

Si vous voulez savoir absolument – on est curieux à votre âge – par qui ce conte a été écrit, nous vous dirons que l'auteur est un nommé Aramis, charmant et coquet abbé qui avait été mousquetaire.

Si vous voulez connaître l'histoire d'Aramis, nous vous dirons que vous êtes trop jeunes pour la lire.

Si, enfin, vous nous demandez pour qui Aramis a écrit ce conte, nous vous répondrons que c'est pour les enfants de madame de Longueville, qui étaient de jolis petits princes descendant du beau Dunois, dont vous avez peut-être entendu parler, pendant une de ces époques de troubles dont Dieu nous préserve, et qu'on appelait *la Fronde.*

Maintenant, chers enfants, puisse Aramis vous amuser autant quand il écrit, qu'il a amusé vos pères et vos mères quand il conspirait, aimait et combattait, en société de ses trois amis, Athos, Porthos et d'Artagnan.

1

Le souper des bûcherons

Il y avait une fois, mes chers enfants, dans un petit coin de la Bohême, un vieux bûcheron et sa femme qui vivaient dans une chétive cabane, au fond d'une forêt.

Ils ne possédaient, pour toute fortune, que ce que le bon Dieu donne aux pauvres gens, l'amour du travail et deux bons bras pour travailler.

Chaque jour, depuis l'aube jusqu'au soir, on entendait de grands coups de cognée qui résonnaient au loin dans la forêt, et de joyeuses chansons qui accompagnaient les coups de cognée ; c'était le bonhomme qui travaillait.

Quand la nuit était venue, il ramassait sa moisson du jour, et s'en retournait, le dos courbé, vers sa cabane, où il trouvait, auprès d'un feu clair et pétillant, sa bonne ménagère qui lui souriait à travers les vapeurs du repas du soir ; ce qui lui réjouissait fort le cœur.

Il y avait déjà de longs jours qu'ils vivaient ainsi, lorsqu'il advint qu'un soir le bûcheron ne rentra pas à l'heure accoutumée.

On était alors au mois de décembre ; la terre et la forêt étaient couvertes de neige, et la bise, qui soufflait avec violence, emportait avec elle de longues traînées blanches qu'elle détachait des arbres, et qui étincelaient en fuyant dans la nuit. On eût dit, mes enfants, que c'étaient, comme dans vos contes favoris, de grands fantômes blancs qui couraient, à travers les airs, à leur rendez-vous de minuit.

La vieille Marguerite – c'était le nom de la femme du bûcheron – était, comme vous pensez bien, fort inquiète.

Elle allait sans cesse au seuil de la cabane, écoutant de toutes ses oreilles et regardant de tous ses yeux ; mais elle n'entendait rien que la bise qui faisait rage dans les arbres, et ne voyait rien que la neige qui blanchissait au loin sur le sentier.

Elle revenait alors près de la cheminée, se laissait choir sur un escabeau, et son cœur était tellement gros que les larmes lui tombaient des yeux.

À la voir si triste, tout devenait triste comme elle dans l'intérieur de la chaumine ; le feu, qui d'habitude pétillait si gaiement dans l'âtre, s'éteignait peu à peu sous la cendre, et la vieille marmite de fonte, qui grondait si fort tout à l'heure, sanglotait maintenant à petits bouillons.

Deux grandes heures s'étaient écoulées, lorsque tout à coup le refrain d'une chanson se fit entendre à quelques pas de la cabane, Marguerite tressaillit à ce signal bien connu du retour de son mari, et, s'élançant vers la porte, elle arriva tout juste pour tomber dans ses bras.

– Bonsoir, ma bonne Marguerite, bonsoir, dit le bûcheron ; je me suis un peu attardé, mais tu seras bien contente lorsque tu verras ce que j'ai trouvé.

Et, ce disant, il déposa sur la table, aux yeux de la vieille femme qui en resta tout ébahie, un joli berceau d'osier, dans lequel reposait un petit enfant d'allure si gentille et de forme si mignonne, que l'âme en était toute chatouillée, rien que de le voir.

Il était vêtu d'une longue tunique blanche, dont les manches pendantes ressemblaient aux ailes repliées d'une colombe. Un haut-de-chausse d'étoffe blanche comme la tunique laissait à découvert deux petits pieds de gazelle, chaussés de bottines à rosettes et à talons rouges. Autour de son cou s'épanouissait une fraise de batiste finement plissée, et sur la tête il portait un joli chapeau de feutre blanc coquettement incliné sur l'oreille.

De mémoire de bûcheron on n'avait vu de plus gracieuse miniature ; mais ce qui émerveillait fort dame Marguerite, c'était le teint du petit enfant, qui était si blanc, qu'on eût dit que sa tête mignonne avait été sculptée dans l'albâtre.

– Par saint Janvier ! s'écria la bonne femme en joignant les mains, comme il est pâle !

– Ce n'est pas étonnant, dit le bûcheron, il était depuis plus de huit jours sous la neige quand je l'ai trouvé.

– Sainte Vierge ! huit jours sous la neige, et tu ne me dis pas cela tout de suite. Le pauvre petit est gelé !

Et sans plus dire, la vieille femme prit le berceau, le déposa près de la cheminée et jeta un fagot tout entier dans le feu.

La marmite qui n'attendait que cela se mit tout à coup à frémir et à écumer d'une façon si bruyante, que le petit enfant, alléché par l'odeur, se réveilla tout en sursaut : il se leva à demi, huma l'air à plusieurs reprises, fit glisser vivement sa langue effilée sur le bord de ses lèvres, puis, au grand étonnement du vieux et de la vieille, qui n'en pouvaient croire leurs yeux, il s'élança hors de son berceau en poussant un petit cri joyeux.

Il venait, mes chers enfants, d'apercevoir le souper de nos pauvres gens.

Voler vers la marmite, y plonger jusqu'au fond une grande cuiller de bois, l'en retirer et la porter à sa bouche toute pleine et toute bouillante, fut pour lui l'affaire d'un instant ; mais, halte-là ! ses lèvres y avaient à peine touché qu'il jeta la cuiller à terre et se mit à sauter à travers la chambre, en faisant des grimaces tout à la fois si drôles et si piteuses, que le bûcheron et sa femme étaient fort embarrassés, ne sachant s'ils devaient rire ou bien s'ils devaient pleurer.

Notre gourmand s'était brûlé vif.

Cependant, quelque chose rassurait les bonnes gens, c'est que décidément le petit garçon n'était pas gelé, quoiqu'il fût resté blanc comme neige.

Pendant qu'il se démenait ainsi dans la cabane, la vieille Marguerite fit tous les préparatifs du souper ; la marmite fut posée sur la table, et déjà le bûcheron, les manches retroussées, s'apprêtait à lui faire fête, lorsque notre lutin, qui suivait du coin de l'œil tous ses mouvements, vint s'asseoir résolument sur la nappe, enlaça la marmite de ses petites jambes, et se mit à l'œuvre avec de si belles dents, et des mines si joyeuses, que cette fois, pleinement rassurés sur son compte, le bûcheron et sa femme n'y purent résister.

Ils se mirent à rire, mais d'un rire si fou, que n'ayant pas pris la précaution de se tenir les côtes, comme il faut faire en pareil cas, mes enfants, ils tombèrent à la renverse, et roulèrent deci, delà, sur le plancher.

Quand ils se relevèrent, un quart d'heure après, la marmite était vide, et le petit enfant dormait du sommeil des anges dans son berceau.

– Qu'il est gentil ! dit la bonne Marguerite qui riait toujours.

– Mais il a mangé notre soupe ! repartit le bûcheron qui était devenu tout sérieux.

Et les bonnes gens, qui étaient à jeun depuis le matin, allèrent se coucher.

2

Ce que peut amener la découverte d'un petit enfant

Le lendemain, la vieille Marguerite se leva bien avant le jour pour aller raconter aux commères du hameau voisin l'histoire du petit enfant.

Au récit merveilleux qu'elle fit, tous les bras tombèrent de surprise, et ce fut parmi les bonnes femmes à qui s'écrierait le plus fort.

Un instant après, toutes les langues étaient en campagne, et le petit jour n'avait pas encore paru à l'horizon, que déjà la nouvelle s'était propagée à plus de dix lieues à la ronde.

Seulement, comme il arrive d'ordinaire, la nouvelle avait pris dans sa course des proportions effroyables : ce n'était plus, comme au point de départ, un petit enfant qui avait mangé le souper des pauvres gens qui l'avaient recueilli ; c'était un ours blanc d'une taille gigantesque qui s'était jeté dans la cabane des bûcherons, et les avait inhumainement dévorés.

Un peu plus loin, et dans la ville qui était la capitale du royaume, la nouvelle avait encore grandi ; l'ours blanc qui avait mangé deux vieillards s'était transformé en un monstre gros comme une montagne, qui avait englouti d'une bouchée vingt familles entières de bûcherons avec leurs cognées.

Aussi les bons bourgeois de la ville s'étaient-ils bien gardés de mettre le nez à la fenêtre pour aspirer, comme à l'accoutumée, l'air du matin ; barricadés dans leurs maisons, ils se tenaient blottis au fond de leurs lits et la tête sous la couverture, n'osant souffler ni broncher, tant ils avaient peur.

C'était cependant un tout petit enfant qui causait une si grande terreur ; ce qui vous prouve, mes chers amis, qu'il faut toujours voir de près les choses avant de s'en effrayer.

Or, ce jour-là, le roi de Bohême devait traverser la ville en grande pompe, pour inaugurer, suivant l'antique usage, la nouvelle session de son parlement : ce qui veut dire tout simplement, mes chers enfants, que Sa Majesté devait réciter un beau compliment à son peuple, afin de recevoir de grosses étrennes.

La circonstance était grave ; il s'agissait de faire décréter le payement de nouveaux impôts, tous plus absurdes les uns que les autres, mais qui, absurdité à part, devaient produire un assez grand nombre de millions.

Il était encore question de demander quelques petites dotations, l'une pour la fille unique du roi, alors âgée de quinze ans, les autres pour les princes et les princesses qui n'étaient pas nés, mais que le roi et la reine ne désespéraient pas de créer et mettre au monde, un jour ou l'autre.

Depuis un mois, matin et soir, le roi s'était enfermé dans son cabinet et, les yeux fixés au plancher, avait fait des efforts inouïs pour apprendre par cœur le fameux discours que lui avait préparé à cette occasion le seigneur Alberti Renardino, son grand ministre, mais il n'avait pu en retenir une seule phrase.

– Que faire ? s'était-il écrié un soir, en tombant affaissé sur son trône, tout haletant des efforts infructueux qu'il avait faits.

– Sire, rien n'est plus simple, avait répondu le seigneur Renardino qui était entré sur ces entrefaites... Voilà ! – et d'un trait de plume il avait réduit le discours de moitié, et augmenté du double, par compensation, le chiffre des impôts et des dotations.

Donc le roi, accompagné d'un nombreux cortège, était sorti de son palais et s'acheminait au petit pas de sa mule vers le lieu de la séance royale.

À sa droite était la reine, étendue tout de son long dans un palanquin porté par trente-deux esclaves noirs, les plus robustes qu'on avait pu trouver.

À sa gauche, montée sur un cheval isabelle, était Fleur-d'Amandier, l'héritière du royaume et la plus belle princesse qui se pût voir au monde.

Sur la seconde file, venait un haut personnage, richement costumé à l'orientale, mais laid à faire peur ; il était bossu, cagneux, et avait la barbe, les sourcils et les cheveux d'un roux si ardent, qu'il était impossible de le regarder en face sans cligner les yeux. C'était le prince Azor, un grand batailleur, toujours en guerre avec ses voisins, et que, par politique, le roi de Bohême avait fiancé la veille à Fleur-d'Amandier. Ce vilain homme avait voulu assister à la cérémonie, afin d'arracher, par la terreur qu'il inspirait, un vote d'urgence sur la dotation de sa fiancée.

À côté de lui marchait le seigneur Renardino, qui riait sournoisement dans sa barbe en songeant aux impôts énormes dont, grâce à lui, le bon peuple de Bohême allait être écrasé.

Le cortège n'avait pas fait cent pas, que la surprise se peignit sur tous les visages. Les boutiques étaient fermées et les rues complètement désertes.

L'étonnement redoubla lorsqu'un héraut vint annoncer au roi que la salle du parlement était vide.

– Par ma bosse ! qu'est-ce que cela veut dire ? s'écria le prince Azor, qui avait vu le beau visage de Fleur-d'Amandier rayonner de joie à cette nouvelle. Aurait-on voulu, par hasard, me mystifier ?

– Au fait, qu'est-ce que cela signifie, seigneur Renardino, demanda le roi, et pourquoi mon peuple n'est-il pas ici, sur mon passage, à crier comme d'habitude : Vive le roi !

Le grand ministre, qui ignorait la nouvelle du jour, ne savait que répondre, lorsque le prince Azor, pourpre de colère, lui appliqua sur la joue un soufflet.

Le méchant homme avait vu pour la seconde fois Fleur-d'Amandier sourire sous son voile, et il se croyait décidément mystifié.

– Roi de Bohême, s'écria-t-il en grinçant des dents, cette plaisanterie vous coûtera cher ; et piquant des deux, il s'enfuit au grand galop de son coursier.

À ces paroles, qui renfermaient une menace de guerre, tous les visages devinrent fort pâles, à l'exception de la joue du seigneur Renardino, qui était devenue fort rouge.

Ce fut bientôt un désarroi général. Le roi et tous les gens de sa suite s'enfuirent vers le palais en criant aux armes, et les trente-deux esclaves noirs, pour courir plus vite, laissèrent sur la place le palanquin de la reine.

Mais, fort heureusement, Sa Majesté, qui croyait assister déjà à la séance royale, s'était profondément endormie.

Récapitulons maintenant les événements qui s'étaient passés.

Un vaste royaume en émoi, un mariage rompu, une déclaration de guerre et une grande reine laissée sur le pavé ; tout cela parce qu'un pauvre bûcheron avait trouvé la veille un petit enfant au fond d'une forêt.

À quoi tiennent, mes chers enfants, le sort des rois et les destinées, des empires !

3

Baptême de Pierrot

La scène que nous venons de narrer avait fait une telle impression sur l'esprit du roi, qu'à peine de retour dans son palais, il revêtit sa cotte de mailles, qui était fort rouillée depuis la dernière guerre, et se mit à s'escrimer d'estoc et de taille contre un mannequin costumé à l'orientale, et qui était censé représenter le prince Azor.

Il lui avait passé plus de cent fois son épée au travers du corps, lorsqu'une idée soudaine lui vint à l'esprit ; c'était de faire comparaître par-devant lui le seigneur Bambolino, le maire de la ville, afin de savoir ce que pouvait être devenu son peuple.

Après une visite domiciliaire des plus minutieuses, maître Bambolino fut enfin trouvé sous un amas de bottes de paille, au fond d'un grenier, n'ayant en tout et pour tout sur sa personne qu'une chemise, et si courte que ça faisait peine à voir. Dans la crainte d'être dévoré, le pauvre homme s'était mis au cou un large collier de cuir, hérissé de pointes aiguës, comme les chiens de berger sont accoutumés d'en porter dans l'exercice de leurs fonctions pour tenir messires les loups en respect.

Amené au pied du trône du roi, ce fut à grande peine, tant il grelottait, qu'il raconta l'histoire du monstre et de ses odieux méfaits.

À cette nouvelle, toute la cour fut en l'air ; mais le roi, qui se sentait en humeur de guerroyer, résolut à l'instant même de se mettre en chasse, malgré les représentations du seigneur Renardino, qui prétendait qu'il valait mieux employer la voie diplomatique, et livrer au monstre, jour par jour, tel nombre de sujets qui serait jugé nécessaire à sa consommation.

– À la bonne heure ! avait reparti le roi ; mais réfléchissez bien, seigneur Renardino, qu'en votre qualité de grand ministre, vous serez chargé de la négociation.

Son Excellence avait réfléchi et n'avait pas insisté.

Le roi se mit donc sur l'heure en campagne à la tête de toute sa cour, et sous l'escorte d'autant de gardes qu'il en put réunir.

Fleur-d'Amandier, qui aimait la chasse de passion, s'était jointe au cortège et faisait piaffer avec une grâce toute charmante son blanc destrier, lequel s'en donnait à cœur joie, et faisait feu des quatre pieds, tant il était heureux et fier de porter une si belle princesse.

Quant à la reine, dont l'absence n'avait pas été remarquée depuis le matin, à raison de la gravité des circonstances, elle dormait en pleine rue dans son palanquin.

Le cortège avait chevauché depuis plusieurs heures sans rencontrer âme qui vive, quand tout à coup une pauvre vieille toute déguenillée sortit comme par enchantement du milieu des broussailles qui bordaient la route.

Elle s'avança, appuyée sur un grand bâton blanc, auprès du roi, et, lui tendant la main, elle lui dit d'une voix cassée :

– La charité, mon bon seigneur, s'il vous plaît, car j'ai bien faim et j'ai bien froid !

– Arrière, vieille sorcière, coureuse de grands chemins ! s'écria le seigneur Renardino ; arrière, ou je te fais arrêter et mettre en prison !

Mais la vieille avait un air si misérable que le roi en fut tout apitoyé et lui jeta sa bourse, qui était pleine d'or.

De son côté, Fleur-d'Amandier glissa sans être vue, dans la main de la pauvre femme, un magnifique collier de perles qu'elle avait détaché de son cou.

– Prenez ceci, ma bonne femme, lui dit-elle tout bas, et venez me voir demain au palais.

Mais elle avait à peine prononcé ces mots que la vieille mendiante avait disparu, et, chose étrange, le roi retrouvait dans sa poche sa bourse pleine d'or, et le collier de perles étincelait de plus belle au cou de Fleur-d'Amandier.

Il n'y avait que le seigneur Renardino, qui avait beau se fouiller de la tête aux pieds, et qui ne retrouvait plus sa bourse, qu'il était cependant bien sûr d'avoir emportée.

À cent pas plus loin, notre troupe fit la rencontre d'un jeune pâtre qui jouait tranquillement de la flûte en veillant à la garde de ses moutons, pauvres bêtes qui avaient grand-peine à trouver sous la neige quelques petits brins d'herbe à se mettre sous la dent.

– Ohé ! l'ami, ohé ! cria le roi, pourrais-tu nous dire de quel côté se tient la bête féroce que nous allons courre ?

– Sire, dit le petit pâtre en s'inclinant respectueusement devant le roi avec une grâce et une aisance qu'on était loin d'attendre d'un jeune garçon d'aussi médiocre condition, Votre Majesté a été trompée, comme bien d'autres ; la bête féroce dont on vous a parlé n'est pas du tout une bête féroce, c'est un petit enfant bien innocent, ma foi, dont un bûcheron a fait hier la trouvaille dans la forêt que vous voyez là-bas, là-bas, derrière ce buisson.

Puis, il se mit à faire au roi la description du petit bonhomme, de la blancheur de son teint, qui était plus blanc que tout ce qu'il y a de plus blanc au monde, tant et si bien que le roi, qui était un grand naturaliste, conçut tout de suite le projet de conserver le petit phénomène dans un bocal d'esprit-de-vin.

– Nous serions curieux, Fleur-d'Amandier et moi, reprit-il adroitement, de voir un être aussi merveilleux. Voudrais-tu bien, mon petit ami nous servir de guide ?

– Je suis aux ordres de Votre Majesté, répondit le jeune pâtre, qui, au seul nom de Fleur-d'Amandier, était devenu rouge comme une cerise.

La caravane se remit en marche sous la conduite du jeune guide, et bien lui en prit, car il connaissait si bien les chemins de traverse qui raccourcissaient la route de plus de moitié, qu'au bout d'une heure on arriva devant la cabane du bûcheron.

Le roi descendit de sa mule et frappa à la porte.

– Qui est là ? demanda une petite voix argentine qui partait de l'intérieur de la chaumine.

– C'est moi, le roi !

À ces mots magiques, l'huis s'ouvrit de lui-même, comme la fameuse caverne de feu Ali-Baba, et le petit enfant apparut sur le seuil, son feutre blanc à la main.

Vous auriez été bien empêchés, mes chers enfants, de vous trouver ainsi face à face avec l'un des plus grands rois de la terre. Plus d'un d'entre vous, j'imagine, se serait bien vite blotti dans un coin et couvert le visage de ses deux mains, sauf à écarter un tantinet les doigts pour voir si les rois sont faits comme les autres hommes ; mais il n'en fut pas de même du petit enfant ; il s'avança avec une grâce exquise au-devant de Sa Majesté, posa le genou en terre et baisa respectueusement le pan de son manteau. Je ne sais, en vérité, où il avait appris tout cela. Se retournant ensuite vers Fleur-d'Amandier, qu'il salua le plus galamment du monde, il lui offrit sa petite main blanche pour l'aider à descendre de son destrier.

Cela fait, et sans s'inquiéter du seigneur Renardino, qui attendait de lui même office, notre petit garçon fit un geste des plus gracieux au roi et à la princesse pour les inviter à s'asseoir.

Le bûcheron et sa femme, qui s'étaient mis à table pour dîner deux heures plus tôt qu'à l'ordinaire, étaient restés cois à la vue d'aussi grands personnages, et le cœur leur battait bien fort.

– Bonnes gens, leur dit le roi, riches et bien riches je vous ferai, si vous voulez m'accorder deux choses : me confier d'abord ce petit garçon, que je veux attacher à ma personne, et me donner ensuite de ce brouet fumant qui a si bonne mine, car j'ai tant chevauché toute la journée que je me meurs de male faim.

Le bûcheron et sa femme étaient si interdits qu'ils ne trouvèrent pas un mot à répondre.

– Sire, dit alors le petit bonhomme, vous pouvez disposer de moi comme il vous plaira, je suis tout à votre service et prêt à vous suivre. Que Votre Majesté daigne seulement m'accorder la faveur d'emmener avec moi ces bonnes gens qui m'ont recueilli, et que j'aime tout autant que si j'étais leur propre fils. Quant à ce brouet, ne vous en faites faute ; j'ose espérer même que vous me ferez l'honneur, tout petit que je sois, de m'accepter pour votre échanson.

– Accordé, dit le roi en frappant amicalement sur la joue du petit bonhomme ; tu es un garçon de grand sens, et je verrai plus tard ce que je puis faire de toi.

Et sur ce, il prit, ainsi que Fleur-d'Amandier, la place du bûcheron et de sa femme, qui ne comprenaient pas qu'un roi fût venu de si loin pour manger leur maigre souper.

Le repas fut des plus gais ; le roi daigna même, dans sa joyeuseté, risquer quelques bons mots auxquels le petit enfant eut la courtoisie d'applaudir.

Après le souper, on fit les préparatifs du départ, afin de rentrer au palais avant la nuit. Le bûcheron et sa femme, à qui le roi voulait faire honneur, furent hissés à grand-peine sur la mule du seigneur Renardino, et s'assirent en croupe derrière lui. Le petit enfant sauta lestement sur le dos d'un vieil âne qu'il était allé chercher dans l'écurie, et qui en voyant tant de monde, se mit à braire de toutes ses forces, tant il éprouvait de contentement de se trouver en si brillante compagnie. Il n'est pas jusqu'au jeune pâtre qui ne trouvât à s'accommoder tant bien que mal derrière le grand officier des gardes du roi.

On se mit en route en silence, car on avait remarqué que le roi venait de se plonger dans de profondes méditations. Il cherchait, en effet, un nom à donner au petit bonhomme, et, comme d'habitude, il ne trouvait rien.

Mais nous allons laisser la cavalcade continuer son chemin, pour raconter un tout petit événement qui s'était passé au palais pendant l'absence du roi.

Les esclaves noirs, qui s'étaient enfuis lors de l'algarade du prince Azor, réfléchirent bientôt que le seigneur Renardino se ferait un malin plaisir de les faire pendre, s'il apprenait leur désertion. Ils revinrent donc vers le palanquin, le soulevèrent avec précaution et le transportèrent au palais. Là, ils déposèrent tout doucement la reine sur un lit de brocart d'or, et se retirèrent dans l'antichambre, soulagés d'un grand poids.

Or, il faut que vous sachiez, mes chers enfants, que la reine avait la passion des petits oiseaux ; elle en avait de toutes sortes, de toutes nuances et de tous pays. Lorsque les jolis prisonniers s'ébattaient dans leur belle cage à treillis d'or, et croisaient, dans leurs jeux, les mille couleurs de leur plumage, on eût cru voir voltiger un essaim de fleurs et de pierres précieuses ; et c'était un concert de gazouillements joyeux, de roulades, de trilles éblouissants à rendre fou un musicien.

Mais ce qui vous étonnera, comme j'en fus étonné moi-même, c'est que le favori de la reine n'était ni un bengali, ni un oiseau de paradis, ni quelque autre d'aussi gentil corsage ; mais un de ces vilains moineaux francs, grands pillards de grains, qui vivent dans la campagne aux dépens des pauvres gens. Bien que la reine fût très bonne pour lui, et lui pardonnât les licences parfois incroyables qu'il se permettait, le petit ingrat n'en regrettait pas moins sa liberté et becquetait souvent avec colère les vitres qui le retenaient prisonnier. Dans la précipitation que la reine avait mise à se joindre au cortège du roi, elle avait oublié, le matin, de fermer la fenêtre, et crac... notre moineau, profitant d'une si belle occasion, avait pris son vol dans le ciel.

Qui fut bien triste ? Ce fut la reine à son réveil, quand elle ne trouva plus son petit favori ; elle chercha partout dans sa chambre, et, voyant la fenêtre ouverte, elle devina tout.

Elle courut alors à son balcon, et se mit à appeler, par son nom et avec les épithètes les plus tendres, notre fuyard, qui se donna bien garde de lui répondre, je vous assure.

Il y avait au moins une heure qu'elle appelait son cher pierrot, quand les portes de sa chambre s'ouvrirent avec fracas et donnèrent passage au roi.

– Pierrot ! Pierrot ! s'écria-t-il en bondissant de joie, voilà précisément ce que je cherchais.

– Hélas ! je l'ai perdu, répondit tristement la reine, qui pensait toujours à son oiseau.

– Au contraire, c'est vous qui l'avez trouvé, répliqua le roi.

La reine haussa les épaules, et crut que le roi était devenu fou.

Et voilà, mes chers enfants, comment le nom de Pierrot fut donné à notre héros.

4

Au clair de la lune, mon ami Pierrot

Un mois s'était écoulé depuis les derniers événements que nous venons de raconter.

Pierrot, par un prodige qu'il m'est impossible de vous expliquer, grandissait à vue d'œil et si vite que le roi, tout émerveillé d'un phénomène aussi extraordinaire, avait passé régulièrement plusieurs heures par jour, immobile sur son trône, à le regarder pousser. Notre héros avait su, d'ailleurs, s'insinuer si adroitement dans les bonnes grâces du roi et de la reine, qu'il avait été nommé grand échanson de la couronne, fonction très délicate à remplir, mais dont il s'acquittait avec un tact parfait et une habileté sans égale. Jamais la cour n'avait été plus florissante, ni le visage de Leurs Majestés enluminé de plus riches couleurs, au point que c'était entre elles à ce sujet un échange perpétuel de félicitations tant que le jour durait.

Seule entre toutes, la figure blême du seigneur Renardino avait considérablement jauni : c'était l'effet de la jalousie que lui inspirait l'élévation de notre ami Pierrot, qu'il commençait à haïr du fond du cœur.

Le jeune pâtre que nous avons vu servir de guide au cortège avait été fait grand écuyer, et il n'était bruit partout que de sa belle tenue et de sa bonne mine. Chaque fois que Fleur-d'Amandier traversait la grande salle des gardes pour se rendre aux appartements de sa mère, il avait si bon air et paraissait si heureux en lui présentant sa hallebarde, que la jeune princesse, qui ne voulait pas être en reste avec un écuyer si courtois, lui tirait en passant une révérence.

Or, comme le jeune écuyer est appelé à jouer un rôle dans cette histoire, il est bon de vous dire tout de suite, mes chers enfants, qu'il s'appelait Cœur-d'Or.

Le bûcheron et sa femme avaient été nommés surintendants des jardins du palais, et, grâce à Pierrot, recevaient chaque jour, dans la jolie maisonnette qu'ils habitaient, les rogatons de la desserte royale.

Le méchant prince Azor troublait seul tant de bien-être. Le roi lui avait envoyé une magnifique ambassade, chargée de riches présents, pour lui offrir de nouveau la main de la princesse sa fille ; mais le prince, qui était toujours en colère, à en juger par l'état de sa barbe, de ses cheveux et de ses sourcils, qui étaient fort hérissés, avait fait déposer les présents dans son trésor et mettre à mort les ambassadeurs. Après cet exécrable attentat, il avait écrit de sa propre main un message au roi, dans lequel il lui faisait à savoir qu'il commencerait contre son royaume une guerre d'extermination au printemps prochain, et qu'il ne se tiendrait pour content que lorsqu'il aurait haché lui, toute sa famille et tout son peuple menu comme chair à pâté.

Lorsque les premières alarmes que cette nouvelle avait fait naître furent dissipées, le roi avisa aux moyens de pourvoir à la défense de ses États. Il assembla à l'instant même tous les artistes de son royaume, et fit peindre sur les remparts de la ville les figures de monstres et de bêtes féroces qu'il jugea les plus propres à jeter l'épouvante parmi ses ennemis. C'étaient des lions, des ours, des tigres, des panthères qui allongeaient des griffes longues d'une lieue, et qui ouvraient des gueules si larges, qu'on voyait très distinctement et d'outre en outre leurs entrailles ; des crocodiles qui, ne sachant quel prétexte imaginer pour montrer leurs dents, avaient pris le parti de se promener tout bonnement les mâchoires béantes ; des serpents dont les immenses replis faisaient tout le tour des murailles, et qui semblaient encore fort embarrassés de leurs queues ; des éléphants, qui, pour faire parade de leurs forces, se prélassaient gravement avec des montagnes sur le dos ; enfin, c'était une ménagerie comme on n'en avait jamais vu, mais d'un aspect si affreux, que les citoyens n'osaient plus entrer dans la ville, ni en sortir, dans la crainte d'être dévorés.

Cette œuvre de haute stratégie terminée, le roi passa la revue de ses troupes, et ce ne fut pas sans orgueil qu'il se vit à la tête d'une armée composée de deux cents hommes d'infanterie et de cinquante cavaliers. Avec une force aussi imposante, il se crut en état de faire la conquête du monde, et attendit de pied ferme le prince Azor.

Cependant, Pierrot, qui servait en sa qualité de grand échanson à la table du roi, s'était souvent laissé aller à contempler dans une muette admiration les traits si fins et si purs de Fleur-d'Amandier, et il y avait pris tant de plaisir, qu'un beau soir, il sentit quelque chose remuer tout doucement dans sa poitrine, comme un petit oiseau qui s'éveillerait dans son nid ; tout à coup son cœur avait battu si vite, puis si fort, qu'il avait été obligé de porter la main à son pourpoint pour mettre le holà.

– Tiens, tiens, tiens ! s'était-il écrié sur toutes sortes d'intonations, comme fait un homme étonné qui s'étonne encore davantage ; puis, après cette exclamation, il s'était retiré tout pensif, et avait erré toute la nuit, au clair de la lune, dans les jardins du palais.

Je ne sais, mes enfants, quelle folle idée il se mit en tête ; mais, dès le lendemain, il entoura Fleur-d'Amandier des attentions les plus délicates, plaça chaque jour à table devant elle un magnifique bouquet de fleurs fraîchement cueillies dans les serres du palais, et ne cessa de regarder du coin de l'œil la jeune princesse qui n'y prenait garde : il était si préoccupé qu'il ne savait plus du tout ce qu'il faisait, et commettait dans son service bévue sur bévue : tantôt il laissait choir la poivrière dans le potage du seigneur Renardino ; tantôt il lui enlevait son assiette avant qu'il eût mangé ; une autre fois il versa dans le dos de Son Excellence le contenu d'une aiguière, croyant donner à boire au roi, et enfin, au dessert, il lui jeta en plein sur sa perruque un immense plum-pudding au rhum tout enflammé ; ce qui avait si fort diverti Sa Majesté, que, pour lui donner carrière, on avait bien vite desserré la serviette qu'elle avait, suivant l'habitude, attachée autour de son cou.

– Riez, riez, avait grommelé tout bas le seigneur Renardino ; rira bien qui rira le dernier.

Et, après cette menace, il avait éteint sa perruque et fait semblant de rire comme les autres, mais du bout des dents, comme vous pensez bien.

Quelques jours après, il y eut grand bal à la cour ; le roi, pour intéresser ses sujets à sa querelle contre le prince Azor, avait invité toutes les autorités civiles et militaires du pays.

Jamais on n'avait vu de plus brillante assemblée. Le roi et la reine avaient revêtu pour la circonstance leurs grands manteaux d'hermine semés d'abeilles d'or, et portaient enchâssés dans leurs couronnes royales deux gros diamants qui scintillaient comme des étoiles, mais qui étaient si lourds que Leurs Majestés, la tête dans les épaules, ne pouvaient broncher.

Ce fut un spectacle vraiment féerique lorsque, sous le feu croisé des lustres et des candélabres, les danses commencèrent ; danses de cour tout éblouissantes d'or, de fleurs et de diamants ; danses de Bohême tout étincelantes de verve, de grâce et de légèreté.

Pierrot fit des prodiges, et plusieurs fois le roi et la reine, n'y pouvant tenir, déposèrent leurs couronnes sur un fauteuil pour l'applaudir tout à l'aise.

Ce fut bien autre chose encore, lorsqu'il vint à danser avec Fleur-d'Amandier. Il fallait voir alors, mes chers enfants, comme il y allait de ses deux bras, de ses deux pieds, de tout son cœur ; comme il franchissait d'une enjambée la grande salle du bal, et revenait ensuite à petits bonds, en sautillant comme un oiseau. Il fallait voir les pirouettes qu'il faisait, et comme il tourbillonnait sur lui-même ; son mouvement était si rapide, que toute sa personne se voilait peu à peu d'une gaze légère, et bientôt se changeait en une vapeur blanche, indistincte, et en apparence immobile. Ce n'était plus un homme, c'était un nuage ; mais il n'avait qu'à s'arrêter court, le nuage se dissipait, et tout à coup l'homme reparaissait.

Toute l'assemblée prit à ce divertissement le plus grand plaisir, et chaque fois que Pierrot disparaissait ou reparaissait, le roi ne manquait pas de s'écrier d'une voix tour à tour inquiète et joyeuse : – Ah ! il n'y est plus ! – Ah ! le voilà !

Exalté par le succès, notre héros résolut de couronner toutes ses prouesses par un coup d'éclat, c'est-à-dire par le grand écart ; mais, au plus fort de ses exercices, la fatalité voulut qu'il accrochât de l'une de ses jambes la jambe du seigneur Renardino, et patatras, voilà notre grand ministre étendu tout de son long sur le plancher, tandis que sa perruque, lancée à vingt pas de là, vomissait, en tournant sur son axe, des torrents de poudre à rendre aveugle toute l'assemblée.

Le pauvre homme se releva furieux, courut tout droit à sa perruque, qu'il rajusta du mieux qu'il put sur sa tête ; puis, saisissant Pierrot par un bouton de son pourpoint :

– Beau masque, lui dit-il d'une voix que la colère faisait siffler entre ses dents, tu me feras raison de cette insulte.

– Comment ! c'était donc vous ? repartit ironiquement Pierrot.

– Ah ! tu joues la surprise, répliqua Renardino ; voudrais-tu par hasard me faire croire que tu ne l'as pas fait exprès ?

– Oh ! pour cela non, repartit vivement Pierrot, car je mentirais.

– Insolent !

– Plus bas, Excellence ; le roi vous regarde et pourrait s'apercevoir que votre perruque est de travers.

Pour s'assurer du fait, Renardino porta brusquement la main à son front.

– Voyons, reprit Pierrot en reculant d'un pas, ne faites pas tant de poussière ; c'est un duel que vous voulez, n'est-ce pas ?

– Un duel à mort !

– Très bien ; il ne faut pas rouler vos yeux comme vous faites pour me dire une chose aussi simple. Le rendez-vous ?

– Le rond-point de la Forêt Verte.

– Charmant ! Et l'heure ?

– Demain matin, huit heures.

– J'y serai, seigneur Renardino.

Et, faisant une pirouette, Pierrot vint se placer auprès de la porte d'entrée, où se tenait Cœur-d'Or. Il y était à peine que le jeune écuyer, qui l'avait vu, non sans dépit, danser avec Fleur-d'Amandier, lui laissa tomber sur le pied le bout ferré de sa hallebarde.

– Allons, saute, Pierrot ! lui dit-il en même temps tout bas, et Pierrot de bondir, en poussant un cri de douleur, jusqu'au plafond.

À ce nouveau tour de force, les applaudissements éclatèrent de plus belle. Le roi et la reine se renversèrent en riant sur leur trône, et leurs couronnes, perdant l'équilibre, s'en allèrent rouler comme deux cerceaux dans la grande salle du bal.

Par bonheur, les courtisans étaient là ; ils coururent après. Laissons-les faire, mes chers enfants, c'est leur métier.

Après la danse, la musique eut son tour ; on entendit d'abord de grands airs d'opéra exécutés par les virtuoses les plus célèbres de la Bohême, ce qui n'empêcha pas que la reine ne fût obligée plusieurs fois de pincer le roi qui s'oubliait sur son trône.

Lorsqu'on eut payé le juste tribut d'hommage qui est dû aux grands maîtres, Fleur-d'Amandier se leva de son siège et chanta sans se faire prier. À la bonne heure ! ce fut merveille d'entendre cette voix fraîche et pure, tour à tour voix de fauvette et de rossignol, qui tantôt modulait des sons tristes à faire pleurer, et tantôt éclatait en mille notes joyeuses qui pétillaient dans l'air comme des fusées.

Tout le monde était attendri. La reine sanglotait ; Cœur-d'Or, sa hallebarde à la main, pleurait comme un enfant, et le roi, pour dissimuler son émotion, se moucha si fort, qu'il fallut faire le lendemain des réparations aux voûtes du palais.

Lorsque le silence fut rétabli, le roi dit tout bas à la reine :

– Je voudrais bien entendre maintenant une petite chansonnette !

– Y pensez-vous, sire ? une chansonnette !

– Il n'y a que cela qui m'amuse, vous le savez bien.

– Mais, sire...

– Je veux une chansonnette, entendez-vous ; il me faut une chansonnette, ou je vais me mettre en colère.

– Calmez-vous, sire, reprit la reine, qui traitait le roi en enfant gâté, et se tournant vers le cercle des dilettantes : Messieurs, dit-elle, le roi désire que vous lui chantiez une chansonnette.

Tous les dilettantes se regardèrent stupéfaits, mais aucun d'eux ne bougea.

Le roi commençait à s'impatienter, lorsque Pierrot, écartant la foule, s'avança jusqu'au pied du trône.

– Sire, dit-il en faisant un profond salut, j'ai composé hier, en votre honneur, une petite chanson : *Au clair de la lune* ; vous plairait-il de l'ouïr ?

– Je veux l'ouïr, en effet, répondit le roi, et incontinent.

À ces mots, Pierrot prit une guitare, et, la tête penchée sur l'épaule, chanta.

Je ne saurais vous décrire, mes chers enfants, l'enthousiasme que cette chanson excita dans la grande salle du bal. Le roi en trépigna d'aise sur son trône, et toute la cour battit des mains en faisant chorus.

Pendant toute la soirée, on ne parla pas d'autre chose que de l'air de Pierrot, et les grands virtuoses de la Bohême s'esquivèrent l'un après l'autre, pour aller composer bien vite sur cet air des variations magnifiques, que vous ne manquerez pas d'apprendre un jour ou l'autre, mes pauvres enfants.

À minuit, le roi et la reine se retirèrent dans leurs appartements et se mirent au lit ; mais, ne pouvant dormir, ils se dressèrent tous deux sur leur séant et chantèrent à gorge déployée le fameux nocturne, jusque bien avant dans la nuit.

5

Le petit poisson rouge

Le lendemain matin, sept heures venaient à peine de sonner à toutes les horloges de la ville, que le seigneur Renardino se promenait déjà de long en large au lieu du rendez-vous, le rond-point de la Forêt Verte. Il était accompagné d'un vieux général, tant mutilé par la bataille, qu'il ne lui restait plus qu'un œil, un bras et une jambe, et encore pas au complet ; ce qui ne l'empêchait pas d'être fort jovial, de friser sa moustache et de redresser fièrement sa taille quand une jolie dame passait près de lui.

La promenade des deux amis durait depuis deux heures, lorsque le vieux général s'arrêta pour consulter sa montre.

– Mille millions de hallebardes ! s'écria-t-il, il est neuf heures ! Est-ce que ton Albinos ne viendrait pas, d'aventure ? J'aurais été curieux, cependant, de savoir s'il avait du sang ou de la farine dans les veines.

– Tu le sauras bientôt, répondit le grand ministre en grinçant des dents, car je le vois là-bas qui arrive...

Et il serra convulsivement la coquille de son épée.

En effet, c'était Pierrot qui arrivait, accompagné d'un marmiton, lequel portait sous son tablier deux broches à rôtir qu'il avait prises le matin dans les cuisines du roi, et qui étaient si longues que les pointes traînaient par terre à dix pas derrière ses talons.

Lorsque les parties en présence eurent échangé le salut d'usage, les témoins tirèrent les armes au sort.

– Pile ! dit le général, qui jeta en l'air une pièce de monnaie.

– Face ! dit le marmiton. J'ai gagné, reprit aussitôt le marmiton, qui empocha par distraction la pièce de monnaie du vieux général ; à nous le choix des armes.

Et, prenant les deux broches, il tendit l'une au seigneur Renardino et l'autre à Pierrot.

Les champions s'alignèrent et le combat commença.

Le grand ministre, fort habile en matière d'escrime, s'avança droit sur son adversaire et lui porta en pleine poitrine deux coups de pointe ; mais, chose étrange ! la broche rebondit comme un marteau sur l'enclume et fit jaillir des étincelles du pourpoint de Pierrot.

Renardino s'arrêta, étonné.

Pierrot profita de ce temps d'arrêt pour lui lancer un violent coup de pied dans les jambes.

Ce fut un bien autre étonnement pour Renardino, qui sauta en l'air en hurlant.

– Damnation ! s'écria-t-il, tout écumant de rage, et il s'élança de nouveau sur Pierrot, qui se mit à rompre, sans cesser cependant de harceler son antagoniste.

Le pauvre Renardino était tout éclopé ; mais, de son côté, Pierrot courait le plus grand danger ; dans sa marche rétrograde, il avait rencontré un arbre où il se trouvait acculé.

– Je te tiens enfin ! dit le grand ministre, qui, voyant toute retraite fermée à son adversaire, se flattait du malin espoir de le clouer sur l'arbre, comme on fait d'un papillon dans un herbier. Attrape ça ! cria-t-il, et, se fendant à fond, il lui porta la botte la plus furieuse qu'il pût faire.

Mais Pierrot, qui l'avait vu venir, esquiva le coup en sautant par-dessus sa tête.

La broche de Renardino alla s'enfoncer dans le cœur de l'arbre.

Vite, vite, il se mit en posture de la dégager ; mais Pierrot ne lui en laissa pas le temps, et lui assena, drus comme grêle, de grands coups de pied par-derrière.

– Grâce, grâce ! s'écria enfin le malheureux Renardino, je suis mort ! et, lâchant prise, il se laissa tomber à terre.

En ennemi généreux, Pierrot cessa de frapper, et tendit la main à son adversaire, qui se releva tout honteux, aux éclats de rire des témoins.

– Mille millions de hallebardes ! criait le vieux général, comme il t'a tambouriné, mon pauvre ami ! Tu en as au moins pour quinze jours sans pouvoir t'asseoir, et pour un homme de cabinet c'est bien gênant !

– Je vais prendre les devants, disait de son côté le marmiton, pour faire préparer les compresses.

Après maints autres quolibets, nos personnages reprirent chacun de son côté le chemin du palais.

Pendant que ceci se passait, toute la cour était en rumeur. Le roi, qui s'était mis à table pour déjeuner, avait remarqué que le service de vaisselle plate dont la reine lui avait fait cadeau le jour de sa fête n'était pas à sa place accoutumée et le réclamait à grands cris.

Depuis une heure, écuyers tranchants, cuisiniers, marmitons, cherchaient, fouillaient, mettaient tout sens dessus dessous, mais ne trouvaient rien.

– Où est ma vaisselle plate ? criait le roi ; il me faut ma vaisselle plate, et tout de suite, ou je vous fais pendre tous, les uns au bout des autres, dans la cour de mon palais... Çà, voyons, qu'on appelle mon grand échanson !

– Sire, hasarda un marmiton, monsieur le grand échanson est sorti.

– Qu'on me l'amène, mort ou vif, qu'on me l'amène !

– Sire, me voici, dit Pierrot qui entrait sur ces entrefaites, et voici en outre les objets que vous réclamez.

Mettant alors la main sous son pourpoint, il en tira six grands plats d'argent qui étaient dans un état affreux à voir, tant ils avaient reçu de horions.

– Qu'est-ce que cela veut dire ? demanda le roi, rouge de colère.

– Sire, répondit Pierrot, vous vous rappelez l'ordre que vous m'avez donné de faire graver votre chiffre royal sur ces belles pièces d'argenterie...

– Je me le rappelle, en effet, dit le roi.

– Eh bien, ce matin, je les avais emportées pour les remettre à l'orfèvre de Votre Majesté, et par crainte des voleurs, je les avais placées là sous mon pourpoint, lorsque, chemin faisant, il me revint à l'esprit que le seigneur Renardino, votre grand ministre, m'attendait dans la Forêt Verte pour une affaire d'honneur.

– Une affaire d'honneur ! s'écria le roi. Ah ! c'est très bien, seigneur Pierrot... mais non, je me trompe, c'est mal, c'est fort mal, monsieur l'échanson. Vous savez qu'un édit royal défend expressément à nos sujets de se battre en duel.

– En vérité, sire, je l'ignorais.

– C'est bien, c'est bien, je te pardonne pour cette fois, mais n'y reviens plus, et continue ton histoire.

– Je n'avais pas une minute à perdre, reprit Pierrot, car l'heure fixée pour la rencontre était passée depuis longtemps ; je courus de suite au palais, pris avec moi un marmiton pour me servir de témoin, et, dans ma précipitation, j'oubliai de déposer sur le dressoir votre vaisselle plate.

– De façon que tu t'es battu avec ma vaisselle ?...

– Hélas ! oui, dit Pierrot, et Votre Majesté peut voir que le seigneur Renardino n'y a pas été de main morte.

– Ah ! le brutal ! s'écria le roi ; il me le payera.

– C'est déjà fait, reprit Pierrot, et il raconta en grand détail la scène du duel.

Le roi s'ébaudit fort de ce récit, et n'eut rien de plus pressé que de le rapporter à la reine, qui le redit en secret à la première dame d'honneur, laquelle en fit part à voix basse à l'officier des gardes, qui le répéta en confidence à plusieurs de ses amis ; tant il y a, qu'une heure après, le seigneur Renardino était la fable de toute la cour et de toute la ville.

Ce fut bien pis encore, lorsque le roi rendit le décret par lequel il nommait Pierrot grand ministre, et ordonnait qu'un nouveau service de vaisselle plate serait acheté aux frais de Renardino.

– C'est bien fait ! c'est bien fait ! criait-on partout, et c'était à qui courrait le plus vite pour mettre des lampions aux fenêtres.

Pendant que toute la ville se réjouissait de sa disgrâce, l'ex-grand ministre était plus mort que vif.

À l'aide du vieux général, il s'était mis au lit en rentrant au palais. Puis, il avait été pris de la fièvre, puis, à la nouvelle de sa disgrâce, il était tombé de fièvre en chaud mal, puis il avait eu le délire.

Tantôt il lui semblait voir se dresser devant lui les spectres de tous les malheureux qu'il avait dépouillés pour s'enrichir, et qui, se penchant sur son chevet, lui disaient tout bas, bien bas à l'oreille :

– Rends-nous ce que tu nous as pris ! Rends-nous ce que tu nous as pris !

Tantôt c'était la vieille mendiante qui lui demandait la charité d'un air moqueur, en lui montrant la bourse pleine d'or, qu'il avait perdue six semaines auparavant.

En vain il se dressait sur son lit, les traits contractés, l'œil hagard pour écarter tous ces fantômes ; ses mains ne rencontraient que le vide, et une voix stridente et railleuse lui criait :

– C'est ainsi que sont punis les hommes méchants et les mauvais cœurs.

Et les mêmes visions lui apparurent toute la nuit, et toute la nuit il entendit les mêmes paroles. Tant il est vrai, mes chers enfants, qu'une conscience irritée ne pardonne jamais.

À quelques jours de là, le roi donna dans son palais, en l'honneur de Pierrot, son nouveau ministre, un gala splendide auquel furent conviés les rois des pays voisins, à l'exception du prince Azor, qui continuait toujours, à petit bruit, ses préparatifs de guerre.

Pierrot était au comble de ses vœux ; assis à table auprès de Fleur-d'Amandier, il lui débitait les choses les plus bouffonnes du monde, et ne se sentait pas de joie quand il la voyait sourire à ses saillies. Cependant, un observateur eût pu remarquer que la belle princesse devenait tout à coup sérieuse quand, jetant un regard à la dérobée sur Cœur-d'Or, qui était debout derrière son fauteuil, elle le voyait changer de couleur, et ronger de dépit le bois de sa hallebarde qui en était fort endommagé.

Après le repas, le roi congédia ses hôtes, et proposa à la reine une promenade sur le lac. On ne pouvait choisir une plus belle occasion ; le ciel était pur, l'air tiède, l'eau tranquille ; déjà, de toutes parts, la prairie commençait à verdoyer, et l'arbre à babiller ; c'était une véritable journée de printemps.

La famille royale arriva sur le bord du lac, et s'embarqua sur une yole qui s'y trouvait amarrée.

– Tu peux prendre place auprès de nous, dit le roi à Pierrot, qui par respect se tenait à l'écart.

Pierrot ne se le fit pas répéter ; il s'assit près du gouvernail, détacha l'amarre, et la barque, gracieuse comme un cygne qui secoue ses ailes, déploya ses voiles, et s'élança sans bruit et sans sillage sur la surface du lac.

Nos illustres personnages voguaient déjà depuis une demi-heure, lorsque le roi s'écria tout à coup :

– Plie, plie la voile, mon ami Pierrot ; j'aperçois un petit poisson là-bas, dans les eaux de notre barque royale... Il court après nous, en vérité, comme s'il avait quelque chose à nous dire.

C'était en effet un joli poisson rouge, vif et alerte, et qui battait, battait l'eau de ses fines nageoires pour rejoindre au plus vite l'esquif du roi ; et ce ne fut pas long, je vous assure, du train dont il y allait.

Fleur-d'Amandier, qui le vit venir, pensa qu'il avait faim, et lui jeta quelques miettes d'un gâteau qu'elle tenait à la main, en lui disant de sa voix la plus douce pour ne pas l'effaroucher :

– Mangez, mangez, petit poisson.

Et le petit poisson de sauter hors de l'eau et d'agiter gentiment sa queue mordorée en signe de remerciement.

À ce moment, le roi dit à voix basse à Pierrot :

– Ami Pierrot, prends le filet, et tiens-toi prêt à le jeter au premier signal que je te donnerai. J'ai envie de manger ce soir ce petit poisson à souper.

Mais le poisson rouge, qui l'avait entendu, se tint prudemment à distance, et, mettant la tête hors de l'eau, il dit, au grand étonnement de ses auditeurs, qui n'avaient jamais entendu de poisson parler :

– Roi de Bohême, de grands malheurs vous menacent, vous avez des ennemis qui conspirent en secret votre perte ; j'étais venu pour vous sauver, mais l'acte de méchanceté que vous méditez à l'encontre d'un petit poisson qui ne vous a jamais fait de mal, me démontre que vous n'êtes pas meilleur que les autres hommes, et je vous abandonne à votre sort.

« Quant à vous, Fleur-d'Amandier, si belle et si bonne, quoi qu'il advienne, comptez sur moi, je veille sur vous.

Contrefaisant alors la voix du roi, le petit poisson cria :

– Pierrot, jette le filet !

Et Pierrot, qui n'attendait que ce signal, lança le filet à l'eau. Je ne sais comment il s'y prit, mais tout à coup la barque chavira, et crac ! nos promeneurs firent naufrage.

Pierrot, qui était excellent nageur, fut le premier qui revint à la surface du lac. Son premier mouvement fut de chercher des yeux Fleur-d'Amandier ; il l'aperçut qui se débattait sous l'eau près de lui, la saisit par les cheveux et l'amena au bord ; tout cela en moins de temps qu'il ne m'en faut pour vous le dire.

– Sauvée ! sauvée ! s'écria-t-il en sautant de joie ; et déjà il faisait en esprit les plus beaux rêves du monde, se voyait pour le moins le gendre du roi, lorsqu'en y regardant de plus près, il reconnut que c'était la reine mère qu'il avait sauvée.

Tout désappointé de cette découverte, il allait se précipiter de nouveau dans le lac, quand il vit Cœur-d'Or qui nageait vers le bord, tenant au-dessus de l'eau, avec des ménagements infinis, la belle tête de Fleur-d'Amandier.

– Cœur-d'Or, Cœur-d'Or ici ! Est-ce possible ? s'écria-t-il ; et, dans sa surprise, il faillit tomber à la renverse sur la reine, qu'il venait de heurter du pied.

Mais comment notre écuyer se trouvait-il là, allez-vous me demander bien vite, mes chers enfants ?

Il y était parce que... parce que Fleur-d'Amandier y était aussi Quand il vous arrive de vous faire bien mal, ou que vous avez au cœur un gros chagrin, dites, n'est-ce pas votre mère qui est toujours là, la première, pour vous secourir ou vous consoler ? Oui, n'est-ce pas ? Eh bien ! voilà pourquoi Cœur-d'Or se trouvait sur le bord du lac quand la barque avait chaviré, et pourquoi il avait sauvé la vie à Fleur-d'Amandier.

Quant au roi, il avait été bien puni de sa méchanceté ; il s'était pris dans le filet jeté par Pierrot, et après avoir bu, à son corps défendant, une énorme quantité d'eau, il était parvenu à se mettre à cheval sur la quille du bateau, et là, il soufflait et criait de toutes ses forces, ni plus ni moins qu'un homme qui se noie. Il y serait encore si Cœur-d'Or ne fût venu en hâte le débarrasser.

De retour au palais, les naufragés changèrent de vêtements, et le roi assembla sa cour.

Pierrot, déjà premier ministre, fut nommé grand amiral du royaume, et Cœur-d'Or armé chevalier.

Après la cérémonie, qui dura longtemps, le roi congédia sa cour, prit une chandelle et monta à sa tour. Il était soucieux.

Arrivé au sommet, il braqua sur son œil droit une lorgnette de nuit, et interrogea successivement les quatre points cardinaux de l'horizon.

L'examen fut long.

– J'ai exploré, dit-il enfin, la plaine en tous sens, et je ne vois rien d'inquiétant, absolument rien. Décidément, ce petit poisson est un intrigant qui a voulu se moquer de moi.

Et il descendit le cœur plus léger, rentra dans son appartement, se coucha auprès de la reine, et, soufflant la chandelle, s'endormit sur ses deux oreilles.

6

Ouvrez-moi la porte, pour l'amour de Dieu

Dès son avènement au ministère, Pierrot s'occupa des réformes à introduire dans l'administration du royaume pour améliorer le sort des sujets du roi, qui jusqu'alors s'étaient ennuyés à périr : il fit construire sur la grande place de la foire un théâtre en plein vent, dont les acteurs étaient de petites marionnettes, qui agissaient, marchaient et parlaient avec une telle perfection, que les bons bourgeois, qui ne voyaient pas les ficelles, juraient leurs grands dieux que c'étaient des personnages vivants. Il institua ensuite les fêtes du Carnaval, la promenade du Bœuf gras, les bals masqués, et, pour faire durer le plaisir plus longtemps, relégua le Carême aussi loin qu'il lui fut possible.

Jamais le royaume n'avait été si heureux ; ce n'était dans toute la Bohême qu'une grande mascarade et qu'un immense éclat de rire ; le nom de Pierrot était dans tous les cœurs et l'air *Au clair de la lune* dans toutes les bouches.

Tant de popularité commençait à faire ombrage au roi, qui était jaloux, comme tout bon roi doit l'être, de l'amour de ses sujets ; mais la personne qui enrageait le plus dans son cœur était le seigneur Renardino. Rétabli de ses blessures, il se promenait de long en large dans sa chambre, en méditant d'un air sinistre quelque horrible machination.

Tout à coup sa face grimaça un affreux sourire :

– Oh ! pour le coup, dit-il, je le tiens, il ne m'échappera pas !

Et il courut droit à la chambre du roi.

– Toc, toc, fit-il à la porte.

– Entrez, dit le roi... Eh quoi ! c'est vous, seigneur Alberti ? donnez-vous la peine de vous asseoir... Ah ! ah ! je vois que vous allez mieux maintenant.

– Sire, il ne s'agit pas de moi, mais de vous, dit Renardino d'un ton mystérieux ; de grands malheurs vous menacent...

Le roi devint pâle, il se rappelait la prédiction du petit poisson rouge, qui commençait précisément par ces mots.

– Qu'y a-t-il donc ? fit-il.

– Il y a, reprit Renardino, que Pierrot, votre grand ministre, conspire contre vous ; il y a qu'il doit venir ce soir à huit heures dans ce cabinet, sous le prétexte de vous entretenir, comme à l'accoutumée, des affaires du royaume, mais en réalité pour vous étrangler.

– M'étrangler ! s'écria le roi, qui porta machinalement la main à son cou.

– Vous étrangler net, répéta Renardino en saccadant ses mots ; mais rassurez-vous, je viens vous sauver. Confiez-moi pour aujourd'hui seulement la garde du palais, et quoi qu'il arrive, quelque bruit que vous entendiez ce soir dans l'antichambre de votre cabinet, n'ouvrez la porte pour tout au monde.

– Je m'en garderai bien, répondit le roi.

Une heure après, le seigneur Renardino et le grand officier des gardes du roi se promenaient dans les jardins du palais, et causaient entre eux à voix basse.

– C'est étrange ! disait l'officier des gardes ; et vous m'assurez que c'est pour le service de Sa Majesté...

– Voici l'ordre écrit de sa main.

– C'est bien, seigneur Renardino, j'obéirai.

Caché derrière un massif d'arbustes, un homme, appuyé sur sa bêche, écoutait de toutes ses oreilles. C'était l'intendant des jardins notre vieille connaissance, le bûcheron.

Quand les deux interlocuteurs eurent disparu au détour d'une allée :

– Oh ! les scélérats ! s'écria-t-il, les scélérats, qui veulent assassiner ce soir mon pauvre Pierrot ! Courons l'avertir.

Et il fit force de jambes vers le palais.

La nuit était venue et huit heures sonnaient à l'horloge de la ville quand Pierrot, un grand portefeuille sous le bras, sortit de son appartement en fredonnant une chanson.

Le seigneur Renardino, qui l'entendit, entrouvrit doucement sa porte et le vit descendre l'escalier qui conduisait au cabinet du roi.

– Chante, mon bonhomme, chante ! dit-il en se frottant les mains, tout à l'heure, tu danseras ! et il referma la porte sans bruit.

Mais, à peine arrivé au pied de l'escalier, Pierrot souffla sa chandelle, s'enveloppa d'un manteau couleur muraille qu'il tira de son portefeuille, et vint se blottir avec précaution auprès de la porte qui s'ouvrait sur l'antichambre attenante au cabinet du roi.

– Maintenant, attendons, dit-il.

Et il resta immobile dans l'ombre comme une statue.

L'horloge sonna huit heures et demie, puis neuf heures.

Des voix chuchotèrent dans l'antichambre.

– Déjà neuf heures ! disait l'une ; il ne viendra pas.

– Chut ! reprit une autre, j'entends du bruit.

Les voix se turent.

C'était en effet le seigneur Renardino qui sortait mystérieusement de sa chambre.

– Il est neuf heures, dit-il ; allons voir si le tour est joué.

Il descendit l'escalier à pas de loup, marcha sur la pointe des pieds jusqu'à la porte qui communiquait à l'antichambre, et retenant son haleine, il écouta.

Profond silence.

– Ils l'ont tué, sans doute, dit-il ; tant mieux !

Il lève alors tout doucement le loquet, entrebâille la porte, risque d'abord la tête, puis un bras, puis une jambe ; il allait entrer tout à fait, quand Pierrot, s'élançant hors de sa cachette, vous le pousse de toutes ses forces jusqu'au milieu de l'antichambre, et referme la porte sur lui.

Ce fut alors un tumulte effroyable de coups, de cris et de jurements.

Les soldats, qui avaient été largement payés, faisaient la chose en conscience.

– Au secours ! on m'assassine ! criait Renardino. Sire, ouvrez-moi la porte ; ouvrez-moi la porte, pour l'amour de Dieu !

Mais le roi, qui avait sa consigne, tirait tous les verrous, et suait sang et eau pour se fortifier dans son cabinet.

C'en était fait de Renardino, si la reine, attirée par le bruit, ne fût accourue en camisole de nuit et son bougeoir à la main. À sa vue, les soldats effrayés s'enfuirent, et le seigneur Alberti, tout éclopé et tout honteux, se sauva dans sa chambre, d'où il put entendre Pierrot, qui chantait en fausset sur l'air que vous savez :

Ouvrez-moi la porte,
Pour l'amour de Dieu !

7

Le poisson d'Avril

On était au premier avril. Le roi, qui avait passé toute la nuit à regarder à travers le trou de la serrure de son cabinet, avait eu si froid, si froid, que le matin il tremblait comme la feuille et éternuait à tout rompre. Il battait la mesure contre l'un des pieds de son trône pour se réchauffer, quand il aperçut dans la glace un personnage à figure sinistre qui imitait tous ses mouvements en le regardant de travers.

À cette apparition, il poussa un cri de terreur et porta rapidement la main à la garde de son épée.

Le personnage de la glace exécuta la même pantomime.

Hélas ! mes chers enfants, l'infortuné monarque ne reconnaissait plus sa propre image, et vous vous y seriez trompés vous-mêmes, tant ses cheveux avaient blanchi depuis la veille, tant ses yeux étaient rouges et son nez affreusement enflé !

À ce moment, on frappa à la porte.

– Ouvrez, sire, c'est moi, dit une voix qui était celle du seigneur Renardino.

À cet appel, le roi, marchant à reculons, tira la bobinette et ouvrit.

– En garde, seigneur Alberti, lui dit-il tout bas en désignant de la pointe de son épée l'image menaçante de la glace, qui répétait tous ses mouvements. Encore un conspirateur ! en garde !

Un sourire imperceptible de méchanceté se dessina sur les lèvres minces de Renardino : il crut que le roi était devenu fou.

– Sire, rassurez-vous, dit-il, nous sommes seuls.

– Comment ? reprit le roi, seuls ! et cet homme de mauvaise mine qui est là devant moi, l'épée à la main ?

– Révérence gardée, c'est Votre Majesté.

– Cet homme qui a les cheveux tout blancs, les yeux rouges, nez violet, qui éternue à faire frémir !

– C'est Votre Majesté, vous dis-je, et la preuve, tenez, c'est que vous éternuez encore.

En effet, l'ouragan faisait rage dans le cerveau du roi ; il n'y avait plus moyen de s'y méprendre.

– Ô mon Dieu ! s'écria le pauvre monarque quand la bourrasque fut passée, c'était donc moi ! Quelle figure, quels yeux, quel nez !

Et, lâchant son épée, il se couvrit le visage de ses deux mains.

– Seigneur Alberti, reprit-il bientôt d'un ton grave, quoi qu'il arrive désormais, je vous défends expressément de me parler de conspiration.

Il y eut un moment de silence, Renardino semblait embarrassé. Il méditait un assaut, et ne savait comment ouvrir la brèche.

– Sire, dit-il enfin de sa voix la plus nonchalante, en époussetant négligemment du bout des doigts le velours de son pourpoint, aimez-vous le turbot ?

– Si j'aime le turbot ! s'écria le roi, dont les yeux brillèrent soudain de plaisir. Ah ! seigneur Alberti, pouvez-vous me demander si j'aime le turbot ?

– Je me doutais bien que vous l'aimiez, sire, reprit Renardino, car on doit vous en servir un ce soir à souper. Vous vous en réjouissez, sans doute ?

Le roi s'en réjouissait si fort qu'il ne put répondre que par un signe de tête à cette question.

– Ah ! tant pis, tant pis ! fit Renardino.

– Et pourquoi tant pis ? demanda le roi.

– Après la défense qu'elle vient de me faire, je n'ose en vérité dire à Votre Majesté...

– Dites, dites toujours, je vous l'ordonne.

– Eh bien...

– Eh bien ?

– Ce turbot est empoisonné !

À ces mots le roi poussa une exclamation d'horreur et trébucha sur ses jambes ; mais il se remit un instant après, et, se penchant à l'oreille de Renardino, il lui dit à voix basse :

– Je n'ai pas été maître de ma première émotion, mais je m'en doutais.

– Ah ! bah ! s'écria Renardino stupéfait, vous savez qui a fait empoisonner ce turbot ?

– Oui, je le sais, répondit le roi ; mais parlez plus bas, il a l'ouïe si fine qu'il pourrait vous entendre.

– Oh ! pour cela, il n'y a rien à craindre, car je viens de l'apercevoir qui traversait la cour pour se rendre aux appartements de la reine.

– Vous l'a... vez vu traverser la cour, demanda le roi qui devint tout à coup bègue de terreur, et vous êtes sûr que c'était lui ?

– Lui-même.

– Le petit poisson rouge ?

– Le petit poisson rouge ! Mais non, sire, votre grand ministre pierrot.

– Pierrot !

– Comment ! ce n'était donc pas Pierrot que vous soupçonniez ?

– Si fait, si fait, repartit le roi, qui ne voulait pas que Renardino pût mettre en doute sa pénétration, et cependant, après ce qui s'est passé hier dans l'antichambre de mon cabinet, j'aurais pensé...

– Qu'il était mort, n'est-ce pas ? Détrompez-vous, la reine en a ordonné autrement, et il vit encore.

– La reine ? Et de quel droit la reine se mêle-t-elle maintenant des affaires d'État ?

– Ah ! ah ! repartit en ricanant Renardino, vous en êtes là ! Quoi ! Votre Majesté ignore-t-elle ce qui n'est un secret pour personne d'un bout à l'autre de la Bohême, que la reine aime Pierrot, et veut l'épouser ?

– L'épouser ! s'écria le roi, et moi, et moi donc !

– Vous, sire, on doit vous faire manger du turbot ce soir à souper.

– Par ma barbe ! s'écria le roi, dont le bon sens naturel se révoltait aux calomnies de Renardino, ce que vous dites là est horrible, et je n'y saurais croire. Avez-vous des preuves ?

– Des preuves ! ah ! vous me demandez des preuves !

– Mais, sans doute.

– Eh bien ! écoutez-moi et répondez. Qui a fait chavirer, il y a huit jours, votre barque royale ?

– Ah ! ça, c'est Pierrot, je ne puis pas dire une chose pour une autre, c'est Pierrot.

– Très bien ! mais vous a-t-il au moins porté secours quand vous êtes tombé dans le lac ?

– Vous me demandez s'il m'a porté secours ? dit le roi qui cherchait à rassembler ses souvenirs, non, je ne pense pas ; mais, attendez donc, je me rappelle que, loin de là, il m'a jeté le filet sur la tête, et, sans notre écuyer Cœur-d'Or, qui s'est trouvé par hasard sur le bord du lac, je me noyais certainement...

– Ainsi, vous reconnaissez que Pierrot voulait vous noyer ?

– Je ne dis pas cela, répondit le roi, et cependant...

– Cependant, il vous a planté un filet sur la tête, tandis qu'il se jetait à l'eau pour sauver la reine.

À ce rapprochement perfide, un nuage passa sur les yeux du roi.

– Ah ! vous y voyez clair enfin ! s'écria Renardino ; eh bien ! courez maintenant à l'appartement de la reine, où Pierrot va se rendre Écoutez un moment aux portes, et vous en saurez bientôt aussi long que le dernier de vos sujets.

Le roi prit la balle au bond, et s'élança hors du cabinet.

La reine vaquait en ce moment avec tant d'attention aux soins de sa volière bien-aimée, qu'elle n'aperçut pas le roi qui entrait dans sa chambre par une porte dérobée, et se cachait tant bien que mal, vu son embonpoint, derrière une épaisse portière de velours.

Après avoir rempli d'une eau liquide les jolis godets de cristal suspendu çà et là aux fils d'or de la cage mille friandises des plus agaçantes, elle s'amusait à contempler en silence tous ces charmants oiseaux qui voletaient, sautillaient, butinant par-ci, butinant par-là bruyants, animés comme une ruche en travail, lorsque tout à coup un cri aigu la fit tressaillir.

– C'est lui ! s'écria-t-elle toute joyeuse ; et elle courut à son balcon pour appeler le petit oiseau qu'elle avait perdu, et qui, depuis quelque temps, revenait chaque jour, à la même heure, gazouiller sous les fenêtres de sa belle maîtresse.

– Viens ici, lui dit-elle, en froissant dans sa main un gros biscuit qui s'éparpillait en miettes d'or sur le balcon. Viens ici, mon petit Pierrot !

À ces tendres paroles, le roi poussa dans sa cachette un sourd gémissement.

La reine eut peur, se détourna brusquement et aperçut le grand ministre Pierrot qui venait d'entrer, et qui s'inclina profondément devant elle.

– J'ai l'honneur d'annoncer à Votre Majesté, dit-il, qu'un pêcheur du lac vient d'apporter au palais un magnifique turbot pesant plus de deux cents livres.

– C'est bien, seigneur Pierrot, repartit la reine ; vous le ferez mettre au bleu, et vous le placerez ce soir sur la table devant le roi. Vous savez qu'il en est friand.

Pierrot salua et sortit. La reine se précipita de nouveau sur son balcon, mais le petit oiseau avait disparu.

De son côté, le roi rentrait dans son cabinet, dans un état impossible à décrire.

– Seigneur Alberti, dit-il, je sais tout ; mais, de par ma couronne, ils mourront tous deux ! Empoisonner une si belle pièce, un turbot qui pèse deux cents livres, quelle horreur ! Faites venir sur l'heure tous les chimistes de la capitale, de ceux-là qu'on appelle les princes de la science, et qu'on m'apporte le poisson.

Lorsque les chimistes, au nombre de vingt, furent réunis dans le cabinet :

– Messieurs, leur dit le roi, veuillez procéder à l'analyse de ce turbot qui est devant vous, et déterminer la nature du poison qu'il renferme.

– Ce turbot est empoisonné ? demandèrent-ils tout d'une voix.

– Oui, messieurs, ce turbot est empoisonné.

– Ah ! très bien ! firent-ils, et incontinent ils se mirent à l'œuvre.

Pendant le cours de l'opération, Renardino était fort agité, il tremblait que la ruse qu'il avait imaginée pour perdre Pierrot ne fût découverte. Aussi quels ne furent pas son étonnement et sa joie quand, l'analyse terminée, les savants proclamèrent, à l'unanimité, que les organes du turbot soumis à leur examen recelaient vingt sortes de poisons.

Les vingt chimistes avaient trouvé chacun un poison différent.

Cela fait, les princes de la science saluèrent et se retirèrent gravement à la queue leu leu.

Deux heures après, Renardino remettait en grand cérémonial à Pierrot des lettres patentes du roi qui lui intimaient l'ordre de préparer immédiatement ses bagages, et de se rendre à la cour du prince Azor pour négocier un traité de paix. C'était tout bonnement un arrêt de mort.

Le même jour, la reine fut arrêtée, malgré les larmes de Fleur-d'Amandier, et conduite, sous bonne escorte, dans une vieille tour située à l'extrémité de la ville.

Or, tous ces événements étaient l'effet de la méchanceté de Renardino : il avait entendu plusieurs fois, le matin, la reine appeler, sur le balcon, son petit oiseau, et il avait mis à profit cette circonstance pour exciter la jalousie du roi, déjà éveillée par le récit perfide de la catastrophe du lac.

Le turbot empoisonné était une fable de son invention ; mais cette fable est restée célèbre dans le pays, et s'y reproduit encore chaque année à pareil jour, sous le nom bien connu de poisson d'Avril.

Vous voilà avertis, mes chers petits rois de Bohême ; méfiez-vous, ce jour-là, des Renardino.

8

Ma chandelle est morte, je n'ai plus de feu

Après la lecture du message royal, Pierrot se mit à réfléchir ; il était clair qu'en l'envoyant à la cour du prince Azor, on avait de fort méchants desseins sur sa personne.

– Mais, baste ! dit-il en faisant claquer ses doigts, nous verrons bien ! et il monta en chantonnant dans sa chambre, où il passa plus de deux heures à sa toilette, ce qui ne lui était jamais arrivé.

Avant de partir, il voulut prendre congé du roi, qui lui ferma la porte au nez, comme on fait aux courtisans en disgrâce ; il monta aux appartements de Fleur-d'Amandier pour emporter du moins dans son cœur l'écho d'une voix adorée.

– Au large ! lui cria Cœur-d'Or, qui mit sa lance en arrêt : on ne passe pas !

Force fut à Pierrot de se retirer ; il descendit alors dans les jardins du palais, et embrassa tendrement le bûcheron et sa femme, qui lui remirent, les larmes aux yeux, un panier rempli jusqu'à l'anse de provisions de bouche de toutes sortes.

– Bonne chance, monsieur l'ambassadeur, lui cria le seigneur Renardino, qui épiait son départ, accoudé sur une fenêtre du palais mille compliments de ma part au prince Azor.

– Je n'y manquerai pas, monsieur le grand ministre, répondit Pierrot, qui ne voulut pas avoir le dernier avec un seigneur si poli, et, tournant les talons, il se mit bravement en route le panier au bras.

Pas n'est besoin de vous dire, mes chers enfants, les haltes nombreuses qu'il fit tout le long du chemin ; chaque fois qu'il rencontrait un vert tapis de gazon, il s'asseyait à la manière orientale, étendait devant lui une petite nappe blanche comme neige, déposait sur cette nappe un énorme pâté de mine fort appétissante, qu'il flanquait de deux bouteilles de vin de Hongrie, puis il mangeait et buvait à même du meilleur de son cœur, si bien qu'à moitié route, ses provisions étaient épuisées et son panier vide.

– Maintenant, dit-il, pressons le pas ; et il se mit à faire de si grandes enjambées que le soir même il arriva à la cour du prince Azor.

Le moment était mal choisi ; tout le palais était sens dessus dessous ; le prince Azor avait avalé à souper une arête de poisson, et, dans sa fureur, il venait d'étrangler de ses propres mains un célèbre médecin qui n'avait pu la lui retirer du gosier.

Toutefois, comme la mort violente du médecin ne l'avait pas débarrassé du mal qui le tourmentait, l'idée lui était venue d'employer un moyen plus doux : c'était de faire avaler à son premier ministre une arête en tout point semblable à celle qu'il avait avalée lui-même, et de tenter sur le gosier de Son Excellence toutes les expériences que la science pourrait imaginer. Il allait donc faire appeler son premier ministre, lorsque notre voyageur fit son entrée, introduit par l'officier de service.

– Qui es-tu ? lui demanda le prince, que la circonstance de l'arête obligeait de parler du nez. Qui es-tu, pour oser te présenter devant moi ?

Je suis Pierrot, répondit notre héros, ambassadeur de Sa Majesté le roi de Bohême, et je viens à cette fin de négocier auprès de Votre Altesse un traité de paix.

– Par ma bosse ! reprit le prince, tu ne pouvais arriver plus à propos. Mieux vaut, après tout, que ce soit toi que mon premier ministre. Assieds-toi à cette table... très bien... maintenant, mange ce poisson qui est devant toi, et surtout aie soin d'en avaler toutes les arêtes, toutes, entends-tu bien ? ou je te fais tuer comme un chien.

Pierrot, qui était fort affamé, ne se le fit pas dire deux fois ; il se mit à l'œuvre, et de tel appétit, que l'énorme brochet qui tout à l'heure envahissait la table tout entière, disparut en un clin d'œil, comme par enchantement. Il ne restait plus que la grosse arête. Pierrot, relevant sa manche, la prit entre le pouce et l'index, l'insinua délicatement dans sa bouche, fit un grand effort, puis une grimace, et l'avala net.

– Prince, dit-il alors du ton d'un escamoteur qui vient d'envoyer sa dernière muscade aux grandes Indes, c'est fait !

– Impossible ! dit le prince Azor, qui l'avait regardé faire avec attention. Allons, avance ici et ouvre la bouche... C'est prodigieux ! ajouta-t-il quand il eut exploré avec une lumière tous les coins et recoins de la mâchoire de Pierrot... Elle n'y est plus ! Ma foi ! je me risque.

Et, sur ce, il aspira une grosse bouffée d'air, fit un effort accompagné d'une affreuse grimace, et l'arête qu'il avait dans le gosier passa.

– Je suis sauvé ! s'écria-t-il, je suis sauvé ! Ah ! ah ! l'ami, tu viens de me rendre un très grand service. Eh bien, pour te récompenser, je te laisse libre de choisir le genre de mort qui te sera le plus agréable ; tu vois que je suis bon prince.

– Sire, reprit Pierrot, je n'attendais pas moins de votre bonté ; mais Votre Altesse fera mieux de choisir elle-même : je m'en rapporte entièrement à elle.

– Ah ! tu veux railler, mon mignon, repartit le prince. Eh bien, m'est avis qu'après t'avoir vu manger de si bon appétit tout à l'heure, il serait curieux maintenant de te voir mourir de faim.

Quelque empire que notre héros conservât sur lui-même, il ne put s'empêcher de tressaillir à ces paroles. Mourir de faim, se dit-il à lui-même, je n'y avais pas songé.

Il allait peut-être se dédire, quand le prince Azor donna l'ordre à ses gardes de l'enfermer dans un des caveaux du château.

Ce caveau était, mes chers enfants, une affreuse prison dans laquelle l'air et la lumière ne pénétraient qu'à travers une ouverture fort étroite garnie d'un treillis de fer, et qui, par sa disposition, ne permettait pas au malheureux prisonnier d'apercevoir le plus petit coin du ciel.

Tout l'ameublement consistait dans un méchant grabat, une escabelle, une cruche de terre et un mauvais chandelier en fer, dont le geôlier renouvelait soir et matin la lumière.

Lorsque la porte du cachot fut refermée sur lui, Pierrot, qui était fatigué de la longue course qu'il avait faite, se coucha sur le lit et s'endormit bientôt d'un profond sommeil.

Le lendemain matin, au petit jour, il fut réveillé en sursaut par un grincement aigu accompagné d'un cliquetis de clefs.

C'était la porte qui roulait sur ses gonds rouillés et le geôlier qui entrait.

– Tenez, camarade, dit celui-ci, voilà de l'eau fraîche que je viens de puiser à la fontaine. Je ne vous donne pas de chandelle, car je vois que vous n'avez pas même allumé celle que j'avais mise hier dans le chandelier.

Pierrot se frappa le front, comme fait un homme qui trouve une idée, mais ne répondit pas.

Le geôlier sortit, ferma la porte à triple verrou, et, lorsque le bruit de son pas se fut éteint dans le corridor, notre prisonnier sauta à bas de son grabat, saisit avidement la chandelle, et suif et mèche, il dévora tout.

Cela fait, il prit l'escabelle, la plaça dans le pâle rayon lumineux qui descendait du soupirail, et se mit à sculpter dans une pièce de bois, à l'aide d'un canif qu'il avait emporté, un délicieux jouet d'enfant ; le soir, le morceau de bois était devenu un petit pantin qui, par le moyen d'une ficelle, frétillait des pieds et des mains d'une façon charmante.

– Dieu ! que c'est gentil ! s'écria le guichetier qui venait d'entrer, et dont la figure rubiconde s'était épanouie comme une pivoine à l'aspect de la jolie marionnette ; il faut me donner ça, camarade, pour amuser mon petit garçon.

– Volontiers, dit Pierrot, et je lui en ferais d'autres encore, et de plus beaux, si je voyais plus clair en travaillant, mais cette prison est si sombre...

– Qu'à cela ne tienne, mon prisonnier, répondit le geôlier, qui n'y voyait que du feu ; je vais vous apporter tant de luminaire que vous y verrez clair comme en plein midi.

Cinq minutes après, Pierrot avait cinq ou six paquets de chandelles, et vous savez maintenant aussi bien que moi, mes enfants, ce qu'il en fit. J'ajouterai seulement que, quand son garde-manger s'épuisait, il allait chanter à travers les fentes de la porte :

Ma chandelle est morte,
Je n'ai plus de feu...

Et le bon guichetier accourait de toute la longueur de ses jambes pour renouveler sa provision.

Quinze jours s'écoulèrent ainsi, et la quantité de jouets fabriqués par Pierrot était si grande, que le geôlier en fit commerce et loua dans la ville une boutique, devant laquelle les petits enfants restaient ébahis du matin au soir, ne pouvant jamais ouvrir des yeux assez grands pour admirer d'aussi belles choses.

Cependant le prince Azor voulut un jour savoir ce qu'était devenu son prisonnier ; il prit une torche, descendit au cachot, et faillit tomber à la renverse en le retrouvant plein de vie.

– Comment ! drôle, tu n'es pas mort ?

– Dieu merci, je me porte bien, répondit Pierrot.

– Ah ! tu te portes bien, repartit le prince d'une voix menaçante. Eh bien ! tant mieux, nous allons rire.

Et il sortit de la prison.

Or, je dois vous dire, mes enfants, que le prince Azor, qui avait lu, la veille, les aventures de l'*Adroite Princesse,* un conte de fées des plus jolis, s'était mis à rire de tout son cœur à la description d'un horrible supplice dont cette histoire fait mention ; il avait même tant ri, qu'un instant il avait senti son arête qui lui remontait au gosier. Depuis cette lecture, il n'avait pu ni manger ni dormir, tant il était impatient de faire l'épreuve de ce genre de mort sur l'un de ses sujets.

Pierrot n'étant pas mort, l'occasion était des plus belles.

À l'instant même, et par ses ordres, un tonneau est amené au château, hérissé à l'intérieur de pointes d'acier fines comme des aiguilles, et transporté au sommet d'une haute montagne située aux portes de la ville.

Dans le même temps, Pierrot était extrait de sa prison, conduit au haut de la montagne, et là, le bourreau, le prenant par la main, le priait le plus poliment du monde d'entrer dans l'intérieur du tonneau.

– Il entrera, il n'entrera pas ! criait le populaire, qui était accouru en foule pour assister à cette représentation extraordinaire.

Pierrot entra.

Quand tout fut prêt, le prince Azor, du haut de l'estrade où il était assis, donna le signal, et le bourreau poussa du pied le tonneau sur la pente de la montagne.

À la vue de cette avalanche humaine qui roulait sur elle-même avec une rapidité effrayante, bondissait de rocher en rocher, emportant avec elle tout ce qu'elle rencontrait sur son passage, il se fit dans la foule un morne silence, interrompu bientôt par les pleurs et les gémissements des petits enfants, qui ne pouvaient se consoler de voir aussi méchamment mettre à mort l'homme blanc qui faisait des jouets si jolis. Mais quelle ne fut pas la surprise générale, quand, arrivé à la base de la montagne, le tonneau se fendit tout à coup en deux et que Pierrot en jaillit, armé de pied en cap, comme autrefois Minerve du cerveau de Jupiter. Oui, mes enfants, armé de pied en cap, avec une cotte de mailles du plus fin acier, et dans l'attirail d'un preux chevalier qui entre en lice. C'était un vêtement de dessous qu'il avait pris par précaution avant son départ pour la cour du prince Azor. Quant à son pourpoint, dont il ne restait ombre sur sa personne, il pendait en lambeaux aux mille pointes de fer du tonneau.

– Hourra ! hourra ! cria le peuple, lorsqu'il fut revenu de sa stupeur.

– À bas le prince Azor ! criaient les petits enfants, qui trépignaient des pieds et battaient des mains, tant ils étaient heureux de voir leur cher Pierrot encore en vie.

Pendant ce temps, le prince Azor se démenait furieux sur l'estrade et envoyait ses gens d'armes pour se saisir de la personne de Pierrot. Il aurait bien voulu renouveler l'épreuve, mais le tonneau était en pièces et le peuple murmurait si fort que, pour éviter une émeute, il crut prudent de rentrer de suite au château.

Pierrot fut réintégré dans sa prison ; il n'y était pas depuis une heure, que le geôlier lui remit de la part des petits enfants de la ville, qui s'étaient cotisés pour l'acheter, un habillement complet en tout point semblable à celui qu'il avait perdu. Pierrot fut si touché de cette marque d'intérêt, que les larmes lui en vinrent aux yeux. Il bénit les petits enfants dans son cœur et jura de les aimer toute sa vie.

Il avait à peine attaché sur sa poitrine le dernier bouton de son pourpoint, qu'un homme entra dans son cachot et lui fit signe de le suivre. C'était encore le bourreau.

Pierrot répondit par un autre signe qu'il était prêt à obéir. Tous deux se mirent en marche à travers les sombres souterrains du château, montèrent, descendirent de nombreux escaliers et débouchèrent enfin sur une cour, au milieu de laquelle était une fosse, et au fond de cette fosse un ours blanc dont la férocité était proverbiale à plus de vingt lieues à la ronde.

Arrivés à la balustrade en fer qui entourait la fosse de l'ours, le bourreau s'arrêta, tira de sa poche une échelle de corde, l'attacha fortement à l'un des barreaux de la balustrade, et fit signe à Pierrot de descendre.

Pierrot descendit.

L'ours, qui dormait profondément, ne l'entendit pas ; seulement, à cette senteur de chair fraîche qui lui arrivait dans son sommeil, il releva paresseusement la tête et tint ses narines en arrêt.

Tout à coup ses yeux se dilatèrent et lancèrent deux sombres éclairs.

Pierrot venait de toucher le sol, et l'échelle de corde était retirée.

Au lieu de s'élancer d'un bond sur sa proie, comme une bête malapprise, l'ours fit semblant de n'avoir rien vu ; il se leva lentement de terre, détira l'un après l'autre ses membres engourdis, puis, se dressant sur ses pattes de derrière, il s'avança à petit bruit, balançant sa tête et affectant les dehors les plus honnêtes du monde. Il avait un extérieur si candide, un air si bonhomme, qu'en le voyant, mes chers enfants, vous n'auriez pas manqué, j'en suis sûr, de lui faire une belle révérence.

Mais Pierrot, qui savait les ours par cœur, ne se laissa pas prendre à ces mines hypocrites ; il se coucha par terre tout de son long, retint son haleine et fit le mort.

L'ours s'approcha, examina quelque temps d'un œil soupçonneux ce corps qui gisait inanimé sur le sol, le flaira, le tourna et le retourna en tous sens, puis, jugeant que c'était un cadavre, il fit un geste de dégoût, et revint se coucher dans sa tanière du même pas qu'il était venu.

Lorsqu'il fut endormi, Pierrot se leva tout doucement, s'avança sur la pointe des pieds vers notre animal, et tirant son petit couteau de sa poche, lui coupa proprement la tête, avant que la pauvre bête eût eu le temps de se réveiller. Il alluma ensuite un grand feu de paille, découpa et fit rôtir de délicieux beefsteaks d'ours dont il mangea toute la nuit et les jours suivants sans interruption.

Une semaine après, le prince Azor courut à la fosse :

– C'est bien, mon bel animal ! dit-il à l'ours qui se dandinait devant lui, j'étais bien sûr que tu n'en ferais qu'une bouchée.

– Salut au prince Azor ! répondit l'ours qui ôta sa tête et montra aux regards de son interlocuteur la figure enfarinée de Pierrot.

– Malédiction ! s'écria le prince, ce n'est pas l'ours qui l'a mangé, c'est lui qui a mangé l'ours !

9

Trahison de Renardino

La situation du prince Azor vis-à-vis de Pierrot devenait de plus en plus fausse et ridicule.

– Il faut, dit-il en s'éveillant le lendemain, que je l'extermine aujourd'hui de ma propre main, ou j'y perdrai mon nom d'Azor.

Soudain il arme son bras d'un magnifique cimeterre turc, dont lui avait fait présent le grand sultan Mustapha, force Pierrot à se mettre à genoux devant lui, et, brandissant son glaive, lui décharge sur la nuque un coup terrible.

La tête disparut.

À la vue d'un si haut fait d'armes, le prince Azor ne put réprimer un mouvement d'orgueil, et, se campant fièrement sur la hanche, le cimeterre au poing, il posa quelque temps immobile devant ses gens d'armes.

– A-t-il bientôt fini ? murmurait tout bas le bourreau, que cet exercice académique commençait à impatienter. Sire, dit-il un instant après, excusez-moi si je vous dérange, mais je dois vous dire que la tête de votre prisonnier a disparu.

– Eh ! ventrebleu ! je le sais bien, repartit le prince qui se cambra de plus belle.

– Mais ce que vous ne savez pas peut-être, reprit le bourreau, c'est qu'il est impossible de la retrouver.

– Allons donc, vous plaisantez...

Et, quittant sa pose héroïque, le prince Azor se mit lui-même en quête, mais ne trouva rien.

Tout à coup ses cheveux roux se dressèrent sur sa tête, et ses yeux devinrent fixes de terreur ; il venait d'apercevoir quelque chose comme des yeux, un nez et une bouche qui sortaient petit à petit du milieu des épaules de sa victime, et reprenaient tranquillement leur place accoutumée. C'était la tête qu'il cherchait, cette même tête qu'il croyait avoir coupée, mais que Pierrot, par un procédé connu de lui seul, avait subtilement rentrée saine et sauve dans les profondeurs de son pourpoint.

À cette vue, le prince Azor comprit qu'il avait été stupide, et son humiliation fut telle, qu'il laissa tomber son cimeterre, dont la lame se brisa comme verre sur le pavé, tant elle était de pur acier.

– Sire, dit alors le bourreau, voulez-vous que cet homme périsse ? Oui, n'est-ce pas ? Eh bien ! laissez-moi faire, je veux être pendu s'il en échappe cette fois.

– Topez là, mon brave, dit Pierrot en lui frappant dans la main ; c'est convenu.

À l'instant même, la potence fut dressée dans la cour du château et Pierrot hissé sur la plate-forme, dont le plancher devait, à un signal donné, manquer sous ses pieds.

Quand il eut terminé ces préparatifs, l'exécuteur monta à l'échelle une corde à la main. Arrivé au-dessus de la plate-forme, il fit au chanvre un nœud coulant, et se pencha pour l'attacher au cou du patient ; mais, au moment où il y pensait le moins, notre héros le prit brusquement par la taille et lui chatouilla si fort les côtes de ses deux mains, que le pauvre diable, saisi d'un accès de fou rire, lâcha la corde qu'il tenait pour ne pas tomber.

Prompt comme l'éclair, Pierrot s'en saisit, la lui passe prestement au cou, puis, d'un pied renverse l'échelle, de l'autre fait chavirer le plancher de la plate-forme, et le bourreau, qui riait toujours, se trouva pendu.

– Allons, mon brave homme, lui dit-il, vous avez perdu.

À cet étrange dénouement, le prince Azor, écumant de rage, allait se précipiter sur Pierrot pour lui percer le flanc de son poignard, quand un homme, couvert de poussière et ruisselant de sueur, entra dans la cour du château, arrêta le prince au passage et lui remit un message.

– De la part du seigneur Renardino, dit-il, prenez et lisez.

Le prince Azor rompit le cachet et lut.

– Vivat ! s'écria-t-il en jetant son turban en l'air ; vivat ! la Bohême est à nous !

Le messager s'avança alors pour lui faire remarquer qu'il y avait à la lettre un *post-scriptum*.

– Diable ! dit le prince en se grattant l'oreille, le juif me demande trois cent mille sequins... Mais, après tout, ce n'est pas trop cher pour un royaume. Allons, soldats, aux armes, aux armes !

À ce signal, tout le château fut en grand tumulte ; on ne songea plus à Pierrot, qui s'esquiva, ni au bourreau, qui resta pendu ; ce qui fut d'ailleurs un grand contentement pour les sujets du prince Azor, qui l'avaient en exécration.

Pendant que ceci se passait, le roi de Bohême se mettait à table dans son palais, en compagnie de Fleur-d'Amandier, du grand ministre Renardino et de Cœur-d'Or, qui avait été nommé généralissime des troupes du royaume.

Le repas fut morne et silencieux ; le vieux monarque, qu'on n'avait pas vu rire une seule fois depuis l'emprisonnement de la reine et le départ de Pierrot, était ce soir-là plus triste encore qu'à l'ordinaire.

Il avait rêvé toute la nuit qu'il était mort de mort violente et qu'on l'enterrait.

Ses convives n'avaient pas envie de rire plus que lui. Fleur-d'Amandier, toute rêveuse, songeait à sa mère, et Cœur-d'Or à Fleur-d'Amandier.

Le seigneur Renardino lui-même paraissait fort inquiet, et, l'oreille penchée vers la porte, tressaillait au moindre bruit qui venait du dehors.

Soudain l'huis s'ouvrit à deux battants, et la vieille mendiante du chemin apparut sur le seuil.

– Fleur-d'Amandier, Cœur-d'Or, dit-elle, venez avec moi ; Sa Majesté la reine vous mande auprès d'elle.

Au nom de sa mère, Fleur-d'Amandier se leva de table, courut embrasser son père et sortit. Cœur-d'Or marcha derrière elle ; la porte se referma.

Le seigneur Renardino resta seul avec le roi.

« Ma foi, dit en lui-même le grand ministre, cette vieille sorcière ne pouvait arriver plus à propos pour me débarrasser de ces importun et tout va le mieux du monde. »

– Allons, sire, ajouta-t-il tout haut, chassez de votre esprit les sombres pensées qui l'assiègent, et versez-vous de ce généreux vin de Hongrie, qui n'a pas son pareil entre tous les vins de la terre. À la bonne heure ! Maintenant, trinquons à l'extermination prochaine du prince Azor et à la prospérité de votre maison.

Le roi porta automatiquement le verre à ses lèvres et le vida d'un seul trait.

– Ah ! mon Dieu ! fit-il, et il tomba à la renverse dans son fauteuil, comme s'il eût été frappé de la foudre.

– Très bien ! dit le seigneur Renardino en se frottant les mains, la poudre a produit son effet. À présent, accomplissons notre promesse.

Et, tirant des cordes de sa poche, il garrotta le roi de la tête aux pieds.

Si le crime abominable qu'il commettait ne l'avait absorbé tout entier, le méchant homme eût pu voir, encadrés dans l'œil-de-bœuf qui était en face de lui, une figure toute blanche et des yeux démesurément ouverts qui suivaient tous ses mouvements avec une expression d'étonnement mêlé d'horreur.

C'était Pierrot qui était revenu à toutes jambes de la cour du prince Azor, et dont le premier soin, en entrant au palais, avait été de voir ce qui se passait dans la salle des festins.

Tout à coup des cris se firent entendre : un bruit de pas, accompagné d'un cliquetis d'épées, retentit dans les galeries du palais, et le prince Azor, ouvrant brusquement la porte, se précipita vers le seigneur Renardino.

– Où est le roi ? demanda-t-il à voix basse.

– Il est là, dans ce fauteuil, pieds et poings liés, répondit Renardino.

– Par ma bosse ! vous êtes un homme de parole.

– Et les trois cent mille sequins ?

– Les voici.

À cette partie du dialogue, une ombre blanche glissa rapidement devant les deux interlocuteurs, saisit la bourse que le prince Azor tendait à Renardino, et, soufflant les bougies, plongea la salle dans l'obscurité. Au même moment, le seigneur Alberti, qui avançait la main pour prendre les sequins, reçut sur la joue droite un violent soufflet, auquel il riposta par un grand coup de poing qui tomba d'aplomb sur le visage du prince Azor.

Ce fut alors dans les ténèbres une lutte affreuse, mêlée de cris, de morsures et d'imprécations ; le prince Azor et Renardino se tordaient et se roulaient l'un sur l'autre, enlacés comme deux serpents.

Effrayés de l'horrible vacarme qu'ils entendaient, les soldats accoururent avec des flambeaux, et relevèrent les combattants.

– Comment, c'était vous ! s'écrièrent-ils tous les deux en se reconnaissant ; et ils demeurèrent anéantis.

Mais bien plus grande encore fut leur surprise, quand, jetant les yeux autour d'eux, ils s'aperçurent que le roi et les trois cent mille sequins avaient disparu.

10

Mort du prince Azor

Le soir même, le prince Azor et Renardino se livrèrent, dans le palais, aux perquisitions les plus minutieuses : l'un, pour retrouver la personne du roi ; l'autre, les trois cent mille sequins qui lui avaient été enlevés ; mais leurs recherches furent inutiles.

Le roi n'était plus au palais. Emporté par Pierrot, il dormait en ce moment d'un sommeil de plomb dans la maisonnette du bûcheron ; ses liens avaient été coupés, et, de temps en temps, la bonne Marguerite lui faisait respirer des sels d'une odeur si pénétrante et si aiguë, que le pauvre monarque faisait d'affreuses grimaces et s'appliquait en dormant de grands coups de poing sur le nez.

De son côté, le bûcheron, accoudé sur la table, couvait avidement des yeux une éblouissante traînée de sequins qui reflétait en rayons d'or les pâles clartés de la lampe.

Cependant, le prince Azor, qui commençait à devenir fort inquiet, fit placer des sentinelles aux grilles du palais, et passa toute la nuit en conférence avec le seigneur Renardino. Une chose le préoccupait surtout ; c'était l'absence des troupes du roi, que Cœur-d'Or, sur l'avis de la vieille mendiante, avait emmenées avec lui le soir pour escorter Fleur-d'Amandier.

Renardino, qui ignorait cette circonstance, se perdait en mille conjectures sur cette singulière disparition, et, bien qu'il n'en dît rien, entrevoyait vaguement quelque malheur.

Le jour venait de poindre, quand le capitaine des troupes du prince Azor entra dans la chambre.

– Qu'y a-t-il de nouveau ? demanda le prince.

– Sire, la nuit a été tranquille, répondit le capitaine ; seulement les soldats de garde ont aperçu un fantôme qui a erré toute la nuit autour des grilles du palais. L'un d'eux a cru reconnaître dans ce fantôme l'homme blanc qui se disait l'ambassadeur du roi de Bohême et que vous avez voulu mettre à mort ; mais, que ce soit lui ou tout autre, je ne dissimulerai pas à Votre Altesse que cette apparition affecte au plus haut degré le moral de votre armée.

– Comment ! les lâches ont peur d'un fantôme ! fit le prince d'une voix stridente. Eh bien, capitaine, il faut brusquer les choses Sortez du palais avec toutes mes troupes, et mettez la ville à feu, à sac et à sang !

Le capitaine s'inclina et sortit.

Une minute après, il rentra tout effaré.

– Prince, dit-il, nous sommes bloqués ; le roi de Bohême, à la tête de son armée, cerne toutes les issues du palais et somme Votre Altesse de se rendre !...

– Sang et mort ! qui parle ici de se rendre ? reprit le prince Azor d'une voix terrible. Capitaine, apportez-moi ma cuirasse et ma lance, faites ouvrir les grilles du palais, que je disperse en un tour de main toute cette canaille.

– Prince, vous ne m'avez pas compris, dit le capitaine ; je vous répète que nous sommes bloqués. Les clefs de toutes les grilles du palais ont été soustraites cette nuit et nous ne pouvons sortir.

– Les clefs soustraites ? et qui a eu l'audace ?...

– Cet homme blanc qui a rôdé toute la nuit et dont je vous parlais tout à l'heure ; il vient de les remettre à l'instant même au roi, votre ennemi.

– Bas les armes ! s'écria tout à coup une voix menaçante, bas les armes, ou vous êtes morts !

C'était Cœur-d'Or qui se précipitait dans la chambre, suivi du roi de Bohême et de son armée.

Furieux de se trouver pris au trébuchet, le prince Azor s'adossa à la muraille et se disposait à vendre chèrement sa vie, lorsque le seigneur Renardino le saisit par le bras et lui dit à voix basse :

– Tout beau, prince, tout beau ! Remettez votre épée dans sa gaine et laissez-moi faire ; la partie n'est pas encore perdue.

S'avançant alors vers le roi :

– Sire, lui dit-il, je ne puis revenir de l'étonnement où je suis. Que se passe-t-il donc et que signifie tout cet appareil de guerre ? Est-ce ainsi que vous exercez l'hospitalité envers les princes qui briguent l'honneur de s'allier à votre royale maison ?

– Hein ? Que voulez-vous dire, seigneur Renardino ? s'écria le roi.

– Je dis, reprit Renardino d'une voix grave et solennelle, que le prince Azor, ici présent, pour cimenter la paix entre vos deux royaumes, a l'honneur de solliciter de Votre Majesté la main de Son Altesse Royale, haute et puissante princesse Fleur-d'Amandier.

À cette péripétie inattendue, les assistants poussèrent une exclamation de surprise. Pierrot paraissait confondu et sifflait un air entre ses dents pour se donner une contenance, tandis que le roi lui disait tout bas :

– Qu'est-ce que vous me chantiez donc cette nuit, avec votre histoire de poudre, seigneur Pierrot ?

– Le prince Azor attend votre réponse, sire, reprit Renardino.

À ces mots, la vieille mendiante, qui se trouvait à côté du roi, lui dit à l'oreille :

– Répondez vite que vous agréez sa demande, mais offrez-lui, pour l'éprouver, le combat d'usage.

– C'est juste, je n'y avais pas songé, dit le roi ; merci, ma bonne vieille ; et se tournant vers Renardino : J'accepte de grand cœur l'offre d'alliance que veut bien nous faire notre beau cousin le prince Azor, mais à une condition, c'est que, suivant l'antique usage de notre Bohême, il soutiendra aujourd'hui même, dans un tournoi, la lutte à toutes armes, à pied et à cheval, contre tout venant.

– Accepté, dit le prince Azor.

– Eh bien ! prince Azor, je te défie ! s'écrièrent à la fois Cœur-d'Or et Pierrot, qui jetèrent, l'un son gantelet, et l'autre, son chapeau de feutre à ses pieds.

– Insensés ! cria le prince Azor d'une voix tonnante ; malheur à vous !

Et il releva les gages du combat.

Une heure après, tout avait été préparé pour le tournoi. Les deux armées étaient rangées autour du camp, en ordre de bataille, et le roi, ayant à sa droite Fleur-d'Amandier, à sa gauche le seigneur Renardino, était assis sur une estrade qui s'élevait au milieu de la lice.

Le prince Azor, fièrement campé sur son coursier noir, attendait immobile, et la lance en arrêt, le signal du combat.

Tout à coup le clairon sonna, et l'on vit apparaître à l'extrémité de l'arène, monté sur un âne, et n'ayant d'autre arme offensive qu'une longue fourche qu'il avait prise dans les écuries du palais, sir Pierrot, casque en tête et cuirasse au dos. Après avoir salué gracieusement le roi, il piqua des deux et courut sus au prince Azor, qui, de son côté, arrivait sur lui comme la foudre.

Dès cette première passe, notre héros aurait été infailliblement écrasé, si l'âne qu'il montait, et qui n'avait jamais assisté à pareil exercice, ne se fût mis à braire d'une façon si bruyante et si désespérée, que le coursier du prince Azor se cabra d'épouvante, et sauta par-dessus le baudet et son cavalier.

Rudement secoué sur sa selle, le prince fut obligé de se tenir à la crinière de son cheval pour ne pas perdre les arçons, tandis que Pierrot poursuivait triomphalement sa carrière, trottant menu sur son âne, sa fourche à la main.

Arrivés aux deux extrémités de la lice, les deux champions firent volte-face et jouèrent de nouveau des éperons. Mais, cette fois, le choc fut terrible, et Pierrot, atteint en pleine cuirasse par la lance de son adversaire, alla rouler avec son âne à plus de cent pas de là Monture et cavalier ne donnaient aucun signe de vie.

Les soldats du prince Azor poussèrent un hourra.

– Silence dans les rangs ! cria le roi, et qu'on appelle un nouveau champion.

Cœur-d'Or, revêtu d'une magnifique armure et monté sur un cheval blanc, fit son entrée dans l'arène. Il salua courtoisement le roi et Fleur-d'Amandier en baissant le fer de sa lance, et prit place à l'extrémité de la lice, en face du prince Azor.

La trompette donna le signal, et les deux champions s'élancèrent l'un sur l'autre ; leur rencontre au milieu de l'arène retentit comme un coup de tonnerre ; les chevaux plièrent sur leurs jarrets de derrière et les lances volèrent en éclats, mais aucun des deux chevaliers n'avait bronché.

– Allons, mes braves, c'est à refaire, dit le roi ; et deux lances neuves furent données à nos champions pour recommencer la lutte.

Dans ce nouvel assaut, Cœur-d'Or fut blessé à l'épaule, et le prince Azor, désarçonné, roula dans la poussière, mais il se releva aussitôt, saisit sa hache d'armes, et se mit en état de défense.

Cœur-d'Or, jetant sa lance, prit également sa hache d'armes, et sauta en bas de son coursier.

La lutte fut terrible ; c'étaient de part et d'autre des coups à fendre des montagnes ; mais les vaillants champions n'en paraissaient pas même ébranlés.

Le combat durait depuis une heure sans avantage marqué d'aucune part, quand Cœur-d'Or, affaibli par sa blessure, fit un mouvement de retraite. Tout à coup son pied rencontre un obstacle, il chancelle et tombe... D'un bond, le prince Azor est sur lui, l'étreint à la gorge et tire son poignard.

À ce moment suprême, un cri se fait entendre, cri terrible, déchirant, comme celui d'une mère qui voit périr son enfant : c'est Fleur-d'Amandier qui l'a poussé.

À ce cri, Cœur-d'Or se ranime, rassemble ses forces et parvient à se débarrasser de l'étreinte de son adversaire ; alors il se relève, prend sa hache à deux mains, la fait tournoyer dans l'air, et en assène un coup si violent sur la tête du prince Azor, qu'il brise son casque en mille pièces et pourfend le prince Azor de la tête aux pieds.

– Ouf ! il était temps ! s'écria le roi, qui souffla avec force comme un plongeur qui revient sur l'eau ; Cœur-d'Or l'a échappé belle !

– Victoire ! victoire ! vive Cœur-d'Or ! crièrent les troupes du roi, tandis que les soldats du prince Azor, muets et immobiles, cordaient leurs lances de colère.

Le vainqueur fut porté en triomphe, au son des fanfares, jusqu'au pied de l'estrade royale, mais il perdait tant de sang par sa blessure, qu'en recevant l'accolade du roi il tomba évanoui dans ses bras.

Le bon monarque, tout en émoi, le déposa aussitôt sur son trône, et s'apprêtait à lui frapper dans les mains, quand Fleur-d'Amandier, qui était pâle comme un lis, détacha son écharpe, et, se mettant à genoux, banda de sa belle main la blessure du pauvre chevalier. Soit que ce remède fût efficace, soit qu'il y ait je ne sais quoi d'électrique dans le contact de la personne aimée, soit ceci, soit cela, toujours est-il, mes enfants, que Cœur-d'Or fit un mouvement et ouvrit les yeux. Un éclair de bonheur illumina ses traits en voyant, agenouillée devant lui, la jeune princesse, dont toute la figure se couvrit d'une charmante rougeur.

– Oh ! de grâce, lui dit-il, restez ainsi ; si c'est un rêve, ne m'éveillez pas !

Je ne sais combien de temps cela aurait duré, si la vieille mendiante, qui se glissait partout, n'eût touché de la main l'épaule de Cœur-d'Or, qui se leva soudain, guéri de sa blessure.

À ce prodige, Fleur-d'Amandier ne put retenir un cri de joie. C'était la seconde fois de la journée que son secret lui échappait. Il n'y avait plus moyen de s'en dédire : elle aimait Cœur-d'Or.

Arrivons maintenant à Pierrot.

Nous l'avons laissé, mes enfants, couché tout de son long sur l'arène, à côté de son âne, qui avait les quatre fers en l'air. Ni l'un ni l'autre n'avaient remué pied ou patte pendant le tournoi ; mais, aux cris de victoire poussés par les soldats du roi de Bohême, Pierrot s'était relevé brusquement, avait couru sur le lieu du combat, et pris sous la cuirasse du prince Azor un petit billet plié en quatre.

– C'est bien cela, avait-il dit, et il s'était dirigé vers le roi pour le lui remettre.

Or, Sa Majesté, complètement rassurée sur le sort de Cœur-d'Or, dissertait en ce moment avec son grand ministre sur les événements du jour. Tout à coup, le seigneur Renardino pâlit ; il venait d'apercevoir le billet aux mains de Pierrot.

– Donnez-moi cette lettre, dit-il vivement, donnez-moi cette lettre.

Et il se jeta sur lui pour s'en saisir.

– Après Sa Majesté, s'il vous plaît, seigneur grand ministre, avait répondu notre héros.

– Pierrot a raison, repartit le roi. Il s'est passé aujourd'hui des choses si étranges, que je veux tout voir maintenant par mes propres yeux.

Il prit incontinent le billet.

Prompt comme l'éclair, le seigneur Renardino tira de sa poitrine un poignard, et il allait en frapper traîtreusement le roi, quand Pierrot qui avait toujours à la main son instrument de combat, enfourcha par le cou le grand ministre, et le cloua net sur l'estrade.

– Maintenant, sire, dit-il, vous pouvez lire tout à l'aise.

Et le roi lut à voix basse ce qui suit :

Au prince Azor, Albertini Renardino.

Prince, toutes mes mesures sont prises. Je vous livrerai cette nuit le roi de Bohême pieds et poings liés. Le pauvre sire n'y voit pas plus loin que son nez. Je vous raconterai à votre arrivée toutes les sottises que je lui ai mises dans l'esprit au sujet de la reine et de Pierrot. Vous en rirez de bon cœur.

Vite, vite à cheval, bel Azor, et la Bohême est à vous !

Votre ami féal,

Renardino.

P. -S. – N'oubliez pas, surtout, d'apporter avec vous les trois cent mille sequins convenus.

– Ah ! traître ! ah ! pendard ! s'écria le roi, qui se tourna vers Renardino, pourpre de colère, et lui mit le poing sous le nez. Ah ! je suis un pauvre sire ! Ah ! je n'y vois pas plus loin que mon nez ! Par ma barbe, tu me le payeras cher !

Et il le fit charger de chaînes et emmener par ses gardes.

Cœur-d'Or et Fleur-d'Amandier, qui causaient ensemble, n'avaient rien vu, rien entendu de ce qui se passait auprès d'eux ; la foudre serait tombée à leurs pieds qu'ils ne s'en seraient pas aperçus.

– Maintenant, en route ! en route ! cria le roi. Il faut qu'aujourd'hui même justice soit faite à tous. Courons à la tour délivrer la reine.

Au nom de la reine, Fleur-d'Amandier tressaillit.

– Ô ma bonne mère, dit-elle en joignant les mains, pardonnez-moi, je vous avais oubliée ! et, s'appuyant au bras de Cœur-d'Or, elle se réunit au cortège, qui déjà était en marche vers la tour.

Le roi tenait la tête et, tout en cheminant, réfléchissait ; il faisait sans doute un calcul, car on le voyait de temps en temps compter sur ses doigts.

Tout à coup il s'arrêta, mais si brusquement et si court, qu'il renversa l'officier des gardes qui marchait derrière lui, son grand sabre à la main. L'officier des gardes, en tombant, fit choir un soldat ; naturellement le soldat en fit choir un autre, celui-ci un troisième, et ainsi de suite, et, de proche en proche, ce ne fut plus sur toute la ligne qu'une jonchée.

– C'est bien, c'est bien, mes enfants, dit le roi, qui crut que ses soldats se prosternaient à terre pour lui rendre hommage. Relevez-vous. Puis, se tournant vers Fleur-d'Amandier :

– Mon historiographe est-il ici ?

– Oui, mon père. Vous savez bien qu'il vous accompagne partout où vous allez.

– Or çà, qu'il vienne et qu'il apporte ses tablettes. J'ai résolu de faire aujourd'hui une bonne œuvre, et je veux qu'il l'enregistre en lettres d'or, pour que la postérité en garde mémoire.

– C'est là une bonne pensée, mon père, et digne de votre bon cœur.

– Flatteuse ! répliqua le roi, en lui donnant du bout des doigts une petite tape sur la joue. Mais, j'y songe, c'est toi que je vais charger de faire cette bonne action.

– Et vous, mon père ?

– Moi ! je n'y entends rien, tu le sais bien. Je fais les choses carrément, voilà tout ; mais toi, tu as une voix si douce, une parole si émue lorsque tu donnes aux pauvres gens, qu'ils se sentent heureux rien que de t'entendre. Et puis, tu as dans ta manière, ma chère enfant, je ne sais quelle délicatesse qui double le prix du bienfait...

– Mon père !... dit Fleur-d'Amandier en baissant les yeux.

– Voyons, mon enfant, il ne faut pas rougir pour cela. Écoute-moi bien : dès l'instant que nous serons de retour au palais, tu porteras de ma part mille sequins d'or à cette bonne vieille qui m'a donné aujourd'hui un si bon conseil, et tu lui diras que c'est le premier quartier de la pension que j'entends lui faire chaque année jusqu'à ma mort...

– Roi de Bohême, je vous remercie, dit une voix qui paraissait sortir d'un buisson voisin.

À cette voix bien connue, le roi tressaillit et se serra auprès de Cœur-d'Or.

– Qui a parlé ? dit-il ; n'est-ce pas le petit poisson rouge ?

– Non, sire, c'est la vieille mendiante, répondit Cœur-d'Or.

– Non, Cœur-d'Or, dit à son tour Fleur-d'Amandier en souriant, c'est la fée du lac.

– Fleur-d'Amandier dit vrai, reprit la voix du buisson : je suis la fée du lac ; mais rassurez-vous, roi de Bohême, la fée du lac a oublié vos torts envers le petit poisson rouge, et ne se souvient plus que de vos bontés pour la vieille mendiante. Vous en serez récompensé. Je sais que vous désirez ardemment un fils...

– Oh ! oui, s'écria le roi, qui ne put s'empêcher d'exprimer lui-même son désir.

– Votre vœu sera comblé. Avant un an, la reine mettra au monde un prince, qui sera beau comme le jour, et qui, parvenu à l'âge d'homme, accomplira, par la vertu de ce talisman, des choses merveilleuses.

À ces mots, une magnifique bague d'or, ornée de saphirs, tomba sur le chemin.

Le roi ne fit qu'un bond pour ramasser le talisman et, le passant à son doigt, il s'écria :

– Oh ! bonne petite fée, merci ! J'aurai un fils ! j'aurai un fils !

Et sur ce, il prit ses jambes à son cou, pour annoncer au plus vite cette incroyable nouvelle à la reine.

Pendant ce temps, les soldats du prince Azor étaient restés sur le champ de bataille ; jamais on n'avait vu mines plus penaudes : les pauvres diables étaient là, bouches béantes, se tenant tantôt sur un pied, tantôt sur l'autre, ne sachant que faire de leurs corps.

– Êtes-vous des soldats de carton ? s'écria tout à coup leur capitaine d'une voix vibrante, et faut-il vous mettre dans une boîte pour servir de joujoux aux petits enfants ? Comment ! on tue votre prince à votre nez et à votre barbe, et vous vous amusez à ronger vos ongles ! Sabre de bois ! N'êtes-vous plus la grande armée du grand Azor ! Ne l'entendez-vous pas qui vous appelle et vous crie vengeance ?... À la bonne heure ! voilà vos cœurs qui s'enflamment, eh ! allons donc ! en avant, marche !

À cette harangue, les soldats électrisés partirent du pied gauche, et se mirent, tambour battant, à la poursuite du roi de Bohême.

– Soldats du prince Azor, arrêtez ou vous êtes morts ! s'écria la vieille mendiante, qui apparut soudain sur les murailles de la ville, son bâton blanc à la main.

Mais les soldats, une fois lancés, marchaient toujours.

La vieille agita alors son bâton, prononça quelques paroles, et tout à coup les bêtes féroces peintes sur les remparts lancèrent par les yeux, par le nez, par la gueule, par tout, des cascades de flammes.

Des cris : Au feu ! au feu ! se firent entendre.

Les bons bourgeois de la ville accoururent sur les murailles, des seaux pleins d'eau à la main ; ils regardèrent en bas, mais ils ne virent rien que des cuirasses, des casques et des fers de lance.

Voilà tout ce qui restait de l'armée du prince Azor.

11

Le vœu de Pierrot

Pendant que le roi courait annoncer à la reine la prophétie de la fée du lac, Pierrot, qui était resté sur le champ de bataille, cherchait de tous côtés son âne pour le remettre sur pied, s'il soufflait encore, et le ramener à la maisonnette de son père adoptif le bûcheron.

Mais il eut beau regarder devant, derrière, à droite, à gauche, en tous sens, il n'aperçut pas le moindre petit bout d'oreille de son cher grison.

– Ô mon pauvre Martin ! s'écria-t-il tout inquiet, où es-tu ? Et dans son désespoir, il se prit à crier à tue-tête : Martin ! Martin !

Il retint ensuite son haleine pour mieux écouter, mais il n'entendit que la voix moqueuse de l'écho, qui répétait en ricanant : Martin ! Martin ! comme ferait un enfant espiègle caché derrière le rocher.

Il s'apprêtait à tenter une seconde épreuve, quand ses yeux tombèrent par hasard sur les groupes d'animaux que le roi avait fait peindre sur les murailles de la ville pour épouvanter ses ennemis. Ces bêtes intelligentes avaient pensé, sans doute, que le prince Azor étant mort, leur férocité n'était plus de mise, et toutes s'étaient composé des maintiens si décents, des physionomies tellement débonnaires, qu'on eût dit une caravane de petits agneaux allant rendre visite à M. de Florian.

Mais Pierrot, dont l'esprit était troublé, ne remarqua pas la métamorphose.

– Oh ! les monstres ! s'écria-t-il, ce sont eux qui ont dévoré mon pauvre Martin !

Et, s'approchant du pied des murailles pour faire honte à un grand tigre royal qui avait une mine encore plus béate que les autres :

– Fi ! que c'est laid, dit-il, fi ! que c'est vilain, monsieur, ce que vous avez fait là !

Et dans son indignation, il allait faire une impertinence à ce magnifique animal, lorsqu'il aperçut, au haut d'une colline, son âne qui broutait, avec le flegme impassible particulier à sa race, un bouquet d'ajoncs épineux.

Pierrot tressaillit d'aise à cette vue, et laissant là le tigre royal, il fut d'un bond sur la colline ; mais l'âne, qui n'était pas aussi bête qu'il en avait l'air, ne l'y avait pas attendu ; soit qu'il craignît que son maître ne le ramenât au combat, soit que, rendu depuis quelques heures à la liberté, il commençât à apprécier les douceurs de la vie sauvage, soit enfin qu'il obéît à une force mystérieuse et surnaturelle il avait pris sa course à travers la plaine, en faisant retentir les airs de ses hi ! han ! les plus sonores, et en lançant au vent ses ruades les plus triomphantes.

Notre ami Pierrot se précipita à sa poursuite ; mais quelle que fût la longueur de ses enjambées, il ne put l'atteindre.

– C'est bon, c'est bon, dit-il au grison qui galopait à cent pas devant lui ; je ne te savais pas si agile : une autre fois je m'en souviendrai.

Après deux heures d'une course inutile, il s'arrêta au pied d'une montagne. Tout autre âne que notre vieux Martin aurait profité de ce temps d'arrêt pour s'esquiver au plus vite ; mais c'était un animal très bien élevé et qui connaissait à fond les usages : au lieu de s'enfuir, il s'arrêta, et attendit que son maître se fût reposé ; seulement, pour utiliser ses loisirs, il cueillit délicatement du bout des lèvres un chardon imprudent, qui passait sottement sa tête à travers les fentes d'un rocher, et se mit à le croquer à belles dents.

Après une halte d'une demi-heure, Pierrot se leva : la trêve était expirée, et la poursuite recommença de plus fort.

Elle dura jusqu'à la nuit, et Pierrot, exténué de fatigue, allait abandonner la partie, quand il vit notre quadrupède entrer dans une caverne taillée au cœur de la montagne.

– Oh ! pour cette fois, tu es à moi ! s'écria-t-il, et le voilà qui s'enfonce tête baissée dans les profondeurs du rocher.

Il n'avait pas fait cent pas, qu'il sentit une main qui s'appuyait sur son bras, et qu'il entendit une voix qui lui disait à l'oreille :

– Entre, Pierrot, tu es le bienvenu, j'ai à te parler.

– Qui m'appelle ? demanda Pierrot qui tremblait de tous ses membres.

– N'aie pas peur, mon ami, reprit la voix, tu es chez la vieille mendiante.

– La vieille mendiante ! dit Pierrot un peu rassuré.

– Oui, mon ami, et je désire bien vivement causer un instant avec toi.

– C'est bien de l'honneur que vous me faites, ma bonne femme, répliqua Pierrot qui ne manquait jamais de parler poliment aux pauvres gens ; mais auparavant, dites-moi si vous avez vu passer mon âne il n'y a qu'un instant.

– Oui, mon garçon, dit en souriant la vieille mendiante, et je viens même de le faire entrer dans une écurie assez bien approvisionnée pour qu'il puisse attendre, sans trop s'ennuyer, la fin de notre entretien.

– Oh ! quel bonheur ! s'écria Pierrot, qui sauta de joie en apprenant que son âne n'était pas perdu ; puis, se tournant vers la vieille : Parlez, maintenant, ma bonne femme ; je suis tout oreilles, quoique à vrai dire, nous ferions peut-être mieux de remettre l'entretien à un autre jour. Le lieu et l'heure...

– Te semblent mal choisis, n'est-ce pas ? mais sois tranquille, mon ami, je t'attendais ce soir, et j'ai tout préparé pour te recevoir.

À ces mots, la vieille mendiante frappa de son bâton le rocher sur lequel elle était appuyée, et, soudain, la caverne se fendit en deux et Pierrot vit apparaître, à la place de cette grotte sombre dans laquelle il marchait tout à l'heure à tâtons, un palais fantastique, un palais tout blanc, comme on n'en voit qu'en songe, ou dans le pays merveilleux des fées.

C'était un immense édifice creusé tout entier dans un bloc de marbre blanc. Sa vaste coupole, étoilée de diamants, reposait sur un double rang de colonnes d'albâtre que reliaient entre elles des guirlandes de perles et d'opales, de lis, de magnolias et de fleurs d'oranger entrelacées. Mille arabesques capricieuses, fantaisies sculptées par la main des génies, se tordaient en spirales autour des piliers, s'enroulaient autour des chapiteaux, grimpaient aux saillies des corniches et se suspendaient au plafond comme des stalactites de neige.

De distance en distance et jusqu'aux dernières limites de la perspective, on voyait des fontaines, des eaux jaillissantes qui s'élançaient à perte de vue dans l'air et retombaient en gerbes, en pluie de diamants, dans des bassins en cristal de roche où se jouaient, autour de beaux cygnes endormis, de petits poissons aux écailles d'argent. Le plancher, formé d'un seul morceau de nacre, était recouvert d'un tapis d'hermine jonché de clématites, de jasmins, de myrtes, de narcisses, de pâquerettes et de camélias blancs, et sur chaque fleur tremblait une goutte de rosée.

Mais une chose incroyable, et que vous croirez cependant, mes chers enfants, puisque je vous le dis, c'est que tous ces objets avaient une transparence lumineuse : le palais tout entier rayonnait, mais de rayonnements si doux, mais de lueurs si pâles, si calmes, si sereines, qu'on eût cru voir les blanches clartés de la lune endormies, la nuit, sur les gazons verts.

Au centre de l'édifice et sur un trône d'argent massif, richement ciselé, siégeait la reine de céans, une belle fée toute blanche et qui avait un sourire si doux, qu'à la première vue on ne pouvait s'empêcher de l'aimer.

C'était la fée du lac : cette bonne fée que vous n'avez encore vue, mes chers enfants, que sous la forme d'un petit poisson rouge, et sous le déguisement d'une mendiante.

Elle était enveloppée de la tête aux pieds d'un nuage de gaze légère, et son front pensif et rêveur était appuyé sur sa main.

Tout à coup elle se redressa.

– Approche, mon ami, dit-elle d'une voix douce à Pierrot, qui se tenait debout à quelques pas de son trône.

Mais Pierrot, ébloui par l'éclat de cette magique apparition demeura immobile, les yeux tout grands ouverts, comme la statue de l'Extase aux portes du ciel.

– Allons, mon ami, reprit la fée, viens auprès de moi ; et elle lui désigna du doigt la première marche de son trône.

Et, comme Pierrot ne faisait pas un mouvement :

– As-tu peur de moi, lui dit-elle, et me trouves-tu moins bien sous mon riche costume de fée que sous les haillons de la pauvre mendiante ?

– Oh ! non, ne changez pas ! s'écria Pierrot en joignant les mains ; vous êtes si belle ainsi ! et, faisant quelques pas en avant, il se prosterna à ses pieds.

– Relève-toi, mon ami, dit la fée en souriant, et causons. J'ai à te demander un grand sacrifice ; te sens-tu le courage de l'accomplir ?

– Je suis votre esclave, répondit Pierrot, et tout ce que vous me direz de faire, je le ferai pour l'amour de vous.

– Très bien, mon cher Pierrot, je n'attendais pas moins de ton bon cœur ; mais écoute, avant de t'engager davantage, et souriant de ce doux sourire qui allait si bien à son pâle visage : Tu vois en moi, dit-elle, l'amie des petits enfants. Veux-tu les aimer aussi ?

– Bien volontiers et de toute mon âme, repartit Pierrot, qui se rappela en ce moment l'épisode du pourpoint qui lui avait été donné dans sa prison par les enfants de la ville du prince Azor.

– Veux-tu dévouer ta vie à leur amusement et à leur bonheur ?

– Oui, je le veux, répondit résolument Pierrot.

– Mais, prends-y garde ! ils ne sont pas toujours sages, ces chers petits ; ils ont comme nous, qui sommes grands, leurs bons et leurs mauvais jours : parfois, ils sont capricieux, fantasques et mutins ; ils te feront souffrir.

– Je souffrirai, dit héroïquement Pierrot.

– Mais songe bien, mon ami, qu'il te faudra dès demain commencer ton œuvre de résignation et de sacrifice, te séparer de tout ce que tu as aimé jusqu'à ce jour, quitter la Bohême, les vieilles gens qui t'ont élevé, le roi et la reine, Fleur-d'Amandier...

– Fleur-d'Amandier ! murmura Pierrot à voix basse, elle aussi !

– Tu hésites maintenant, mon pauvre garçon, dit la fée d'une voix émue, en pressant tendrement dans ses mains la main blanche de Pierrot.

Pierrot ne répondit pas.

– Mais rassure-toi, mon ami, reprit la fée, je serai là pour te protéger, pour te consoler, et tu seras bien récompensé aussi de toutes tes souffrances par l'amour des petits enfants.

Pierrot resta silencieux.

– Tu souffres déjà, je le vois ; eh bien ! mon ami, lui dit-elle en lui touchant l'épaule, regarde devant toi.

Pierrot leva les yeux, et son visage rêveur se transfigura tout à coup.

Il voyait devant lui, pratiqué dans un enfoncement de la muraille, un joli théâtre, ruisselant d'or et de lumière, et tout rempli, depuis le plancher jusqu'au comble, de petits enfants. Et c'était en vérité un spectacle ravissant à voir que toutes ces têtes blondes, ces figures blanches et roses, aux yeux bleus et noirs, qui riaient et s'épanouissaient au milieu de cette atmosphère dorée, comme une corbeille de fleurs éclatantes sous les chauds rayons du soleil.

Entraîné par une force irrésistible, Pierrot s'avança sur la scène.

À sa vue, tous les petits enfants poussèrent des cris de joie et battirent des mains ; puis ce furent des éclats de rire qui retentirent dans toute la salle, frais et argentins comme des gazouillements d'oiseaux au lever du jour. Puis des bouquets, des couronnes tombèrent en pluie de fleurs autour de Pierrot.

Pierrot voulut parler, mais l'émotion étouffa sa voix ; il ne put que poser sa main sur ses lèvres et envoyer mille baisers aux petits enfants.

Aussitôt le théâtre disparut.

– Eh bien ! mon ami, dit la fée, hésites-tu encore ?

– Oh non ! répondit vivement Pierrot en essuyant une larme qui tremblait au bord de sa paupière. Je partirai demain.

Il avait à peine dit ces mots que le palais de marbre s'écroula, et qu'il se trouva assis sur le dos de son âne, à l'entrée de la caverne.

Le sacrifice était consommé, Pierrot avait fait vœu d'amuser les petits enfants.

12

(Conclusion)

Prête-moi ta plume pour écrire un mot

Le soir du même jour, la reine fut ramenée en triomphe au palais, portée par les trente-deux esclaves noirs, qui s'étaient fait tirer l'oreille pour reprendre, après plusieurs mois de repos, l'exercice pénible du palanquin.

Sa Majesté tenait à la main une jolie cage en fils d'argent, où chantait tristement, en regardant du coin de l'œil l'azur du ciel, le petit oiseau qu'elle avait enfin retrouvé.

Monté sur un grand cheval blanc que ses écuyers lui avaient amené à la tour, le roi marchait à l'amble, serrant au plus près le palanquin il se sentait si heureux de revoir la reine après une si longue séparation, qu'il ne la quitta pas des yeux un seul instant pendant toute la route.

Le lendemain, Cœur-d'Or épousa Fleur-d'Amandier, et reçut en apanage les États du prince Azor.

Les noces furent célébrées avec la magnificence qui est d'usage dans les contes de fées, lorsqu'un roi épouse une bergère, ou qu'une princesse épouse un berger. La fée du lac, qui s'était rendue dès le matin au palais sur un char de diamant traîné par deux beaux cygnes blancs comme l'albâtre, présida à la cérémonie nuptiale et bénit les deux amants de sa baguette d'or, en leur promettant solennellement devant toute la cour d'être marraine de leur premier-né.

Le seigneur Renardino fut puni comme il le méritait de sa méchanceté et de sa trahison : tous ses biens furent confisqués, rendus aux malheureux qu'il avait injustement dépouillés ; lui-même, destitué de tous ses titres, fut revêtu d'habits grossiers, et voué aux plus viles fonctions de la domesticité.

Le roi de Bohême, en reconnaissance des bienfaits de la fée, donna l'ordre à son trésorier de distribuer de riches aumônes à tous les mendiants du pays, et fit construire dans les jardins du palais un magnifique bassin de porphyre, où de charmants petits poissons rouges furent logés et entretenus aux frais du gouvernement.

Quant à Pierrot, mes chers enfants, il n'avait eu garde de se montrer pendant la cérémonie du mariage de Cœur-d'Or et de Fleur-d'Amandier, tant il avait peur que la résolution qu'il avait prise la veille n'en fût ébranlée ; mais à l'heure du festin il reparut, prit sa place au banquet, et sa blanche figure, voilée jusqu'alors d'un léger nuage de tristesse, rayonna comme aux plus beaux jours. Quand le repas fut terminé, il se leva de table avec un grand effort, descendit à la maisonnette du bûcheron, et le pria de lui prêter sa plume pour écrire un mot.

Par ce mot, il donnait aux bonnes gens, pour améliorer leur vieillesse, trois cent mille sequins d'or, ceux-là mêmes qu'il avait si subtilement escamotés au prince Azor, et que le roi l'avait prié de conserver pour prix de ses services.

L'acte dressé, il se jeta au cou du vieux et de la vieille qui pleuraient, les embrassa tendrement ; puis, s'essuyant les yeux avec la manche de son pourpoint, il mit à son bras son panier de voyage et sortit de la maisonnette.

Alors on entendit une voix qui chantait dans l'avenue du palais l'air dont je vous ai déjà tant parlé.

Le roi, la reine, et tous les gens de la cour écoutèrent, mais la voix allait s'affaiblissant, et s'éteignit bientôt dans l'éloignement.

C'était Pierrot qui venait de partir à la recherche d'une autre patrie, et de nouvelles aventures que je vous conterai une autre fois, mes chers enfants.

Milton Keynes UK
Ingram Content Group UK Ltd.
UKHW031817210923
429112UK00009B/384

LA JEUNESSE DE PIERROT

Alexandre Dumas

Copyright pour le texte et la couverture © 2023 Culturea
Edition : Culturea (culurea.fr), 34 Hérault
Contact : infos@culturea.fr
Impression : BOD, Norderstedt (Allemagne)
ISBN :9791041836741
Date de publication : juillet 2023
Mise en page et maquettage : https://reedsy.com/
Cet ouvrage a été composé avec la police Bauer Bodoni
Tous droits réservés pour tous pays.